Dos delitos e das penas

Dados Internacionais de Catalogação na Publicação (CIP)
(Câmara Brasileira do Livro, SP, Brasil)

Beccaria, Cesare, marchese di, 1738-1794
  Dos delitos e das penas / Cesare Beccaria ; tradução de Matheus Coutinho Figuinha. – Petrópolis, RJ : Vozes, 2020 – (Coleção Vozes de Bolso)

  Título original: Dei delitti e delle pene
  Bibliografia.
  ISBN 978-85-326-6285-9

  1. Crimes e criminosos 2. Direito penal 3. Pena de morte 4. Penas (Direito penal) 5. Tortura I. Título. II. Série.

19-29149 CDU-343

Índices para catálogo sistemático:
1. Direito penal 343

Cibele Maria Dias – Bibliotecária – CRB-8/9427

Cesare Beccaria

Dos delitos e das penas

Tradução de Matheus Coutinho Figuinha

Vozes de Bolso

Título do original em italiano: *Dei delitti e delle pene*
Traduzido a partir da edição italiana de referência, editada por
Renato Fabietti, Mursia, Milão, 1973.

© desta tradução:
2020, Editora Vozes Ltda.
Rua Frei Luís, 100
25689-900 Petrópolis, RJ
www.vozes.com.br
Brasil

Todos os direitos reservados. Nenhuma parte desta obra poderá
ser reproduzida ou transmitida por qualquer forma e/ou quaisquer
meios (eletrônico ou mecânico, incluindo fotocópia e gravação)
ou arquivada em qualquer sistema ou banco de dados sem
permissão escrita da editora.

CONSELHO EDITORIAL

Diretor
Gilberto Gonçalves Garcia

Editores
Aline dos Santos Carneiro
Edrian Josué Pasini
Marilac Loraine Oleniki
Welder Lancieri Marchini

Conselheiros
Francisco Morás
Ludovico Garmus
Teobaldo Heidemann
Volney J. Berkenbrock

Secretário executivo
João Batista Kreuch

Editoração: Elaine Mayworm
Diagramação: Sheilandre Desenv. Gráfico
Revisão gráfica: Nilton Braz da Rocha / Nivaldo S. Menezes
Capa: Ygor Moretti

ISBN 978-85-326-6285-9

Editado conforme o novo acordo ortográfico.

Este livro foi composto e impresso pela Editora Vozes Ltda.

Em todas as coisas mais difíceis, não se deve esperar que alguém simultaneamente semeie e colha, mas é necessária preparação, para que em graus amadureçam.

Bacon, *Serm.* fidel. 45

Sumário

A quem lê, 9
Introdução, 15
1 Origem das penas, 19
2 Direito de punir, 21
3 Consequências, 23
4 Interpretação das leis, 25
5 Obscuridade das leis, 29
6 Proporção entre os delitos e as penas, 31
7 Erros na medida das penas, 35
8 Divisão dos delitos, 37
9 Da honra, 40
10 Dos duelos, 43
11 Da tranquilidade pública, 45
12 Fim das penas, 47
13 Das testemunhas, 48
14 Indícios e formas de julgamento, 50
15 Acusações secretas, 53
16 Da tortura, 56
17 Do fisco, 64
18 Dos juramentos, 67
19 Presteza da pena, 69
20 Violências, 72
21 Penas dos nobres, 73
22 Furtos, 75
23 Infâmia, 77
24 Ociosos, 79
25 Banimento e confiscos, 81

26 Do espírito de família, 83
27 Suavidade das penas, 87
28 Da pena de morte, 90
29 Da captura, 99
30 Processos e prescrições, 103
31 Delitos de prova difícil, 106
32 Suicídio, 111
33 Contrabandos, 116
34 Dos devedores, 118
35 Asilos, 121
36 Da recompensa, 123
37 Tentativas de delito, cúmplices, impunidade, 125
38 Interrogações sugestivas, deposições, 128
39 De um gênero particular de delitos, 131
40 Falsas ideias de utilidade, 133
41 Como prevenir os delitos, 136
42 Das ciências, 139
43 Magistrados, 143
44 Recompensas, 144
45 Educação, 145
46 Das graças, 146
*Conclus*ão, 149
Notas, 151

A quem lê

Alguns resquícios de leis de um antigo povo conquistador, compiladas por ordem de um príncipe que, doze séculos atrás, reinava em Constantinopla, misturadas posteriormente com ritos longobardos e incluídas em desordenados volumes de privados e obscuros intérpretes, formam aquela tradição de opiniões que, em grande parte da Europa, tem, todavia, o nome de leis; e é coisa tão funesta quanto comum nos dias de hoje que uma opinião de Carpzov, um uso antigo acenado por Claro e um tormento sugerido com iracunda satisfação por Farinaccio sejam as leis às quais obedecem, com convicção, aqueles que deveriam reger, tremendo, a vida e a fortuna dos homens. Essas leis, que são uma decorrência dos séculos mais bárbaros, são examinadas neste livro à luz do sistema criminal, e ousa-se expor as suas desordens aos dirigentes da felicidade pública com um estilo que afasta o vulgo não iluminado e impaciente. Aquela ingênua indagação da verdade e aquela independência em relação às opiniões vulgares com que foi escrita esta obra são um efeito do suave e iluminado governo sob o qual vive o autor. Os grandes monarcas, os benfeitores da humanidade que nos regem, amam as verdades expostas pelo obscuro filósofo com um não fanático vigor, detestado somente por quem se lança à força ou à indústria[2], tendo sido repelido pela razão; e as desordens presentes são, para quem bem examina todas as suas circunstâncias, a sátira e a condenação das eras passadas, não deste século e dos seus legisladores.

Qualquer um que queira honrar-me com as suas críticas comece, portanto, a bem compreender o escopo desta obra, escopo que, bem longe de diminuir a legítima autoridade, servirá para aumentá-la, se a opinião tiver mais poder entre os homens do que a força, e se a suavidade e a humanidade a justificarem aos olhos de todos. As mal intencionadas críticas publicadas contra este livro fundam-se em confusas noções e obrigam-me a interromper, por um momento, os meus raciocínios aos iluminados leitores, para fechar, de uma vez por todas, cada uma das portas que deram acesso aos erros de um tímido zelo ou às calúnias da maligna inveja.

Três são as fontes das quais derivam os princípios morais e políticos reguladores dos homens: a revelação, a lei natural e as convenções factícias da sociedade. Não há comparação entre a primeira e as outras duas em relação ao seu principal fim; mas elas assemelham-se porque conduzem, todas as três, à felicidade desta vida mortal. Considerar as relações das convenções factícias da sociedade não é excluir as relações da revelação e da lei natural; na verdade, porque estas duas, ainda que divinas e imutáveis, foram, por culpa dos homens, alteradas de mil modos nas suas depravadas mentes pelas falsas religiões e pelas arbitrárias noções de vício e de virtude, parece necessário examinar, separadamente de toda outra consideração, o que nasce das puras convenções humanas, expressas ou supostas, para a necessidade e utilidade comum, ideia à qual todas as seitas e todos os sistemas morais devem necessariamente convergir; e será sempre louvável interpresa aquela que força até os mais pervicazes e incrédulos a conformar-se com os princípios que impelem os homens a viver em sociedade. Há, portanto, três classes distintas de virtude e de vício: a religiosa, a natural e a política. Essas três classes nunca devem estar em contradição entre si, mas nem todas as consequências e nem todos os deveres que resultam de uma resultam das outras. Nem tudo o que exige a revelação exige a lei natural, nem tudo o que exige esta exige a pura lei social; mas é importantíssimo separar o que resulta dessa convenção, isto é, dos expressos ou tácitos pactos dos homens, porque tal é o limite daquela força que pode legitimamente ser exercida entre os homens sem um especial encargo do Ser supremo. Portanto, a ideia da virtude política pode, sem recriminação, ser chamada de variável; a ideia da virtude natural seria sempre límpida e manifesta se a imbecilidade ou as paixões dos homens não a obscurecessem; a ideia da virtude religiosa é sempre uma constante, porque revelada diretamente por Deus e por Ele conservada.

Seria, portanto, um erro atribuir a quem fala de convenções sociais e das suas consequências princípios contrários à lei natural ou à revelação, porque não fala destas. Seria um erro para quem, falando de estado de guerra antes do estado de sociedade, tomasse o estado de guerra no sentido hobbesiano, isto é, de nenhum dever e de nenhuma obrigação anterior, ao invés de tomá-lo como um fato nascido da corrupção da natureza humana e da falta de uma sanção expressa. Seria um erro imputar a um escritor que considera as emanações do pacto social o delito de não admiti-las antes do próprio pacto.

A justiça divina e a justiça natural são, por essência, imutáveis e constantes, porque a relação entre dois objetos iguais é sempre igual; mas a justiça humana, ou seja, política, não sendo senão uma relação entre a ação e o estado vário da sociedade, pode variar à medida que essa ação se torna necessária ou útil à sociedade; e a justiça humana não é bem discernida senão por quem analisa as complicadas e mutabilíssimas relações das combinações civis. Assim que esses princípios essencialmente distintos forem confundidos, não haverá mais esperança de raciocinar bem as matérias públicas. Toca aos teólogos estabelecer os confins do justo e do injusto no que concerne à malícia ou à bondade intrínseca ao ato; estabelecer as relações do justo e do injusto político, isto é, do útil ou do dano à sociedade, toca aos publicistas; nem pode um desses assuntos jamais prejudicar o outro, pois cada um vê o quanto a virtude puramente política deve ceder à imutável virtude emanada de Deus.

Qualquer um, repito, que queira honrar-me com as suas críticas não comece, portanto, a supor em mim princípios destruidores da virtude ou da religião, visto que demonstrei que tais não são os meus princípios, e, ao invés de considerar-me incrédulo ou sedicioso, procure achar-me mau lógico ou desatento político; não trema a cada proposição que sustente os interesses da humanidade; convença-me da inutilidade ou do dano político que poderia nascer dos meus princípios; mostre-me a vantagem das práticas recebidas. Dei um público testemunho da minha religião e da submissão ao meu soberano com a resposta às *Notas e observações*[3]; responder a ulteriores escritos semelhantes a elas seria supérfluo; mas qualquer um que escreva com aquela decência que convém a homens honestos e com aqueles lumes que me dispensam provar os primeiros princípios, de qualquer caráter que sejam, reconhecerá em mim não tanto um homem que tenta responder quanto um pacífico amante da verdade.

Introdução

Os homens, na maioria das vezes, abandonam os mais importantes regulamentos à cotidiana prudência ou à discrição daqueles cujo interesse é opor-se às mais providentes leis, que, por natureza, tornam universais as vantagens e resistem àquele esforço que tende a condensá-las em poucos separando, para uma parte, o cume da potência e da felicidade e, para a outra, toda a fraqueza e a miséria. Por isso, senão depois de terem cometido mil erros nas coisas mais essenciais à vida e à liberdade e depois do cansaço de sofrer os males, tendo chegado ao extremo, é que os homens se induzem a remediar as desordens que os oprimem e a reconhecer as mais palpáveis verdades, as quais escapam, justamente por sua simplicidade, às mentes vulgares, não acostumadas a analisar os objetos, mas a receber deles as impressões todas juntas, mais por tradição do que por exame.

Abramos os livros de história e veremos que as leis, que são ou deveriam ser pactos de homens livres, não foram, na maioria das vezes, senão o instrumento das paixões de alguns poucos ou o resultado de uma fortuita e passageira necessidade; elas não foram ditadas por um neutro examinador da natureza humana, que em um só ponto concentrasse as ações de uma multidão de homens e as considerasse desse ponto de vista: *a máxima felicidade dividida entre a maioria.* Felizes são aquelas pouquíssimas nações que não esperaram que o lento movimento das combinações e vicissitudes humanas fizesse suceder, na extremidade dos males, um encaminhamento ao bem, mas que aceleraram as passagens intermediárias com boas leis; e merece a gratidão dos homens aquele filósofo que, do seu obscuro e desprezado gabinete, teve a coragem de lançar à multidão as primeiras sementes, longamente infrutuosas, das úteis verdades.

Conheceram-se as verdadeiras relações entre o soberano e os súditos e entre as diversas nações, o comércio animou-se perante as verdades filosóficas difundidas pela imprensa, e iniciou-se entre as nações uma tácita guerra da indústria mais humana e mais digna de homens racionais. Esses são frutos que se devem à luz deste século, mas pouquíssimos examinaram e combateram a crueldade das penas e a irregularidade dos procedimentos criminais, parte da legislação tão importante e tão transcurada em quase toda a Europa; pouquíssimos, remontando aos princípios gerais, aniquilaram os erros acumulados ao longo de muitos séculos, ao menos freando, com aquela única força que têm as verdades conhecidas, o demasiado livre curso da mal dirigida potência, que deu até agora um longo e autorizado exemplo de fria atrocidade. No entanto, os gemidos dos fracos, sacrificados à cruel ignorância e à rica indolência, os bárbaros tormentos, multiplicados com pródiga e inútil severidade para delitos não provados ou quiméricos, e a esqualidez e os horrores de uma prisão, aumentados pela incerteza, o mais cruel carnífice dos miseráveis, deveriam comover aquela espécie de magistrados que guiam as opiniões das mentes humanas.

O imortal Presidente Montesquieu discorreu rapidamente sobre essa matéria. A indivisível verdade forçou-me a seguir os rastros luminosos desse grande homem, mas os homens pensantes, para os quais escrevo, saberão distinguir os meus passos dos seus. Serei fortunado se puder obter, como ele, os secretos agradecimentos dos obscuros e pacíficos seguidores da razão e se puder inspirar aquele doce frêmito com o qual as almas sensíveis respondem a quem sustenta os interesses da humanidade!

1
Origem das penas

As leis são as condições sob as quais homens independentes e isolados uniram-se em sociedade, cansados de viver em um contínuo estado de guerra e de gozar uma liberdade feita inútil pela incerteza de conservá-la. Eles sacrificaram uma parte da sua liberdade para gozar o restante com segurança e tranquilidade. A soma de todas essas porções de liberdade, sacrificadas ao bem de cada um, forma a soberania de uma nação, e o soberano é o legítimo depositário e administrador dessas porções; mas não bastava formar esse depósito, era preciso defendê-lo das privadas usurpações de cada homem em particular, que sempre tenta não só retirar do depósito a sua própria porção, mas também usurpar a dos outros. Eram necessários motivos sensíveis que bastassem para demover o despótico ânimo de cada homem de reimergir, no antigo caos, as leis da sociedade. Esses motivos sensíveis são as penas estabelecidas contra os infratores das leis. Digo *sensíveis motivos*, porque a experiência mostrou que a multidão não adota estáveis princípios de conduta, nem se afasta daquele princípio universal de dissolução observado no universo físico e moral senão por motivos que diretamente percutem os sentidos e que con-

tinuamente se apresentam à mente para contrabalan-
çar as fortes impressões das paixões parciais que se
opõem ao bem universal; nem a eloquência, nem as
declamações, nem mesmo as mais sublimes verdades
bastaram para frear por muito tempo as paixões ex-
citadas pelas vivas percussões dos objetos presentes.

2
Direito de punir

Toda pena que não deriva da absoluta necessidade, diz o grande Montesquieu, é tirânica, proposição que pode ser expressa de modo mais geral assim: todo ato de autoridade de um homem sobre outro que não deriva da absoluta necessidade é tirânico. Eis, portanto, o fundamento do direito do soberano de punir os delitos: a necessidade de defender o depósito da saúde pública das usurpações particulares; e tanto mais justas são as penas quanto mais sacra e inviolável é a segurança e maior é a liberdade que o soberano conserva aos súditos. Consultemos o coração humano e nele encontraremos os princípios fundamentais do verdadeiro direito do soberano de punir os delitos, pois não é de se esperar nenhuma vantagem durável da política moral se ela não está fundada nos sentimentos indeléveis do homem. Qualquer lei que se desviar desses sentimentos encontrará sempre uma resistência contrária que vence ao fim, da mesma maneira que uma força, ainda que mínima, se é continuamente aplicada, vence qualquer violento movimento comunicado a um corpo.

Nenhum homem fez dom gratuito de parte da sua própria liberdade em vista do bem público; essa quimera não existe senão nos romances; se fosse possível, cada um de nós desejaria que os pactos que vinculam os outros não nos vinculassem; todo homem faz-se centro de todas as conjunturas do globo.

A multiplicação do gênero humano, pequena por si mesma, mas demasiado superior aos meios que a estéril e abandonada natureza oferecia para satisfazer às necessidades que cada vez mais se entrelaçavam, reuniu os primeiros selvagens. As primeiras reuniões formaram necessariamente outras para resistir-lhes, e, assim, o estado de guerra transportou-se do indivíduo para as nações.

Foi, portanto, a necessidade que constrangeu os homens a ceder parte da sua própria liberdade; é, portanto, certo que cada um não quer colocar no depósito público senão a menor porção possível da sua própria liberdade, somente aquela que basta para induzir os outros a defendê-lo. O agregado dessas menores porções possíveis forma o direito de punir; todo o resto é abuso, e não justiça, é fato, e não direito. Observai que a palavra *direito* não é contraditória à palavra *força*, mas que a primeira é, antes, uma modificação da segunda, isto é, a modificação mais útil à maioria. E por justiça eu não entendo outra coisa além do vínculo necessário para manter unidos os interesses particulares, que, sem ele, dissolver-se-iam no antigo estado de insociabilidade; todas as penas que ultrapassam a necessidade de conservar esse vínculo são injustas por natureza. É preciso guardar-se de associar à palavra *justiça* a ideia de alguma coisa real, como a de uma força física ou a de um ser existente; ela é uma simples maneira de conceber dos homens, maneira que influi infinitamente na felicidade de cada um; também não aludo àquela outra espécie de justiça que é emanada de Deus e que tem diretas relações com as penas e recompensas da vida futura.

3
Consequências

A primeira consequência desses princípios é que somente as leis podem decretar as penas aos delitos, e essa autoridade não pode residir senão no legislador, que representa toda a sociedade unida por um contrato social; nenhum magistrado (que é parte da sociedade) pode, com justiça, infligir penas contra outro membro da mesma sociedade. Mas uma pena aumentada além do limite fixado pelas leis é a pena justa mais outra pena; portanto, não pode um magistrado, sob qualquer pretexto de zelo ou de bem público, aumentar a pena estabelecida para um cidadão delinquente.

A segunda consequência é que, se cada membro particular está vinculado à sociedade, a sociedade está igualmente vinculada a cada membro particular por um contrato que, por natureza, obriga as duas partes. Essa obrigação, que descende do trono até a cabana e que vincula igualmente o mais importante e o mais miserável entre os homens, não significa outra coisa além de que é interesse de todos que os pactos úteis à maioria sejam observados. A violação de mesmo um só começa a autorizar a anarquia[4].

O soberano, que representa a sociedade, não pode formar senão leis gerais que obrigam todos os membros; ele não pode julgar que alguém tenha violado o contrato social, pois, então, a nação se dividiria em duas partes, uma representada pelo soberano, que asseriria a violação do contrato, e a outra, pelo acusado, que a negaria. É, portanto, necessário que um terceiro julgue a verdade do fato. Eis a necessidade de um magistrado, cujas sentenças sejam inapeláveis e consistam em meras asserções ou negativas de fatos particulares.

A terceira consequência é que a atrocidade das penas, mesmo que se provasse que ela é somente inútil, e não diretamente oposta ao bem público e ao fim de impedir os delitos, continuaria sendo contrária não só àquelas virtudes benéficas que são o efeito de uma razão iluminada, que prefere comandar homens felizes a um rebanho de escravos, no qual se promove uma perpétua circulação de tímida crueldade, mas também à justiça e à natureza do contrato social.

4
Interpretação das leis

Quarta consequência: nem mesmo a autoridade de interpretar as leis penais pode residir nos juízes criminais, pela mesma razão de que não são legisladores. Os juízes não receberam as leis dos nossos antigos ancestrais como uma tradição doméstica e um testamento que não deixou à posteridade senão o zelo de obedecer, mas recebem-nas da vivente sociedade ou do soberano, que a representa como o legítimo depositário do atual resultado da vontade de todos; recebem-nas não como obrigações de um antigo juramento, nulo, porque vinculava vontades inexistentes, e iníquo, porque reduzia os homens do estado de sociedade ao estado de rebanho, mas como efeitos de um tácito ou expresso juramento que as vontades reunidas dos viventes súditos fizeram ao soberano; recebem-nas como vínculos necessários para frear e reger o íntimo fermento dos interesses particulares. Essa é a física e real autoridade das leis. Quem será, portanto, o legítimo intérprete da lei? O soberano, isto é, o depositário das atuais vontades de todos, ou o juiz, cujo ofício é somente examinar se tal homem fez ou não uma ação contrária às leis?

Em todos os delitos, o juiz deve fazer um silogismo perfeito: a premissa maior deve ser a lei geral, a premissa menor, a ação conforme ou não à lei, e a conclusão, a liberdade ou a pena. Quando o juiz é constrangido ou quer fazer mesmo que só mais um silogismo, abre-se a porta à incerteza.

Não há coisa mais perigosa do que aquele axioma comum de que é preciso consultar o espírito da lei. Essa é uma barragem rota à frente da torrente das opiniões. Essa verdade, que parece um paradoxo às mentes vulgares, mais percutidas por uma pequena desordem presente do que pelas funestas, porém remotas consequências que nascem de um falso princípio radicado em uma nação, parece-me demonstrada. Todos os nossos conhecimentos e todas as nossas ideias têm uma recíproca conexão: quanto mais são complicados, tanto mais são numerosas as estradas que a eles chegam e deles partem. Cada homem tem o seu ponto de vista; cada homem, em diferentes tempos, tem um ponto de vista diverso. O espírito da lei seria, portanto, o resultado de uma boa ou má lógica do juiz, de uma fácil ou difícil digestão, dependeria da violência das suas paixões, da fraqueza de quem sofre, das relações do juiz com o ofendido e de todas aquelas mínimas forças que alteram as aparências de cada objeto no ânimo flutuante do homem. Assim, vemos a sorte de um cidadão alterar-se várias vezes na passagem que ele faz por diversos tribunais e a vida dos miseráveis ser a vítima dos falsos raciocínios ou do momentâneo fermento dos humores do juiz, que toma como legítima interpretação o vago resultado de toda aquela confusa série de noções que movem a sua mente. Assim, vemos os mesmos delitos serem punidos diversamente pelo mesmo tribunal em diversos tempos, por ter o juiz consultado não a constante e fixa voz da lei, mas a errante instabilidade das interpretações.

Uma desordem que nasce da rigorosa observância da letra de uma lei penal não deve ser comparada com as desordens que nascem da interpretação. Tal momentâneo inconveniente impele a fazer a fácil e necessária correção das palavras da lei, que são a causa da incerteza, mas impede a fatal licença de interpretar, da qual nascem as arbitrárias e venais controvérsias. Quando um código fixo de leis que devem ser observadas à risca não deixa ao juiz outra incumbência além de examinar as ações dos cidadãos e julgá-las conformes ou desconformes à lei escrita, e quando a norma do justo e do injusto, que deve dirigir as ações seja do cidadão ignorante como do cidadão filósofo, não é uma questão de controvérsia, mas de fato, então os súditos não estão sujeitos às pequenas tiranias de muitos, tanto mais cruéis quanto menor é a distância entre quem sofre e quem faz sofrer, mais fatais do que aquelas de um só, porque o despotismo de muitos não é corrigível senão pelo despotismo de um só, e a crueldade de um déspota é proporcional não à força, mas aos obstáculos. Assim adquirem os cidadãos aquela segurança deles mesmos que é justa, porque é o escopo pelo qual os homens estão em sociedade, e útil, porque lhes dá condições de calcular exatamente os inconvenientes de uma infração. É verdade, outrossim, que eles adquirirão um espírito independente, mas que não agitará as leis e recalcitrará os supremos magistrados; recalcitrará, antes, aqueles que ousaram chamar com o sacro nome de virtude a fraqueza de ceder às suas interessadas ou caprichosas opiniões. Esses princípios desagradarão aqueles que se concede-ram o direito de transmitir aos inferiores os golpes da tirania que receberam dos superiores. Eu deveria muito temer, se o espírito de tirania fosse compatível com o espírito de leitura.

5
Obscuridade das leis

Se a interpretação das leis é um mal, é evidente que é outro mal a obscuridade que necessariamente arrasta consigo a interpretação, e será um grandíssimo mal se as leis forem escritas em uma língua estranha ao povo, em uma língua que o faça dependente de alguns poucos, na condição de não poder julgar por si mesmo qual seria o resultado da liberdade própria ou dos seus membros, em uma língua que forme de um livro solene e público um quase privado e doméstico. O que devemos pensar dos homens, considerando ser esse o inveterado costume de boa parte da culta e iluminada Europa? Quanto maior for o número daqueles que entendem e leem o sacro código das leis, tanto menos frequentes serão os delitos, porque não há dúvida de que a ignorância e a incerteza das penas estimulam a eloquência das paixões.

Uma consequência dessas últimas reflexões é que, sem a escrita, uma sociedade nunca adotará uma forma fixa de governo, em que a força é um efeito do todo, e não das partes, e em que as leis, inalteráveis senão pela vontade geral, não se corrompem passando pela multidão dos interesses privados. A experiência e a razão mostraram-nos que a probabilidade e a certeza das tradições humanas diminuem à medida que se afastam da sua fonte. Se não existir um estável monumento do pacto social, como resistirão as leis à força inevitável do tempo e das paixões?

Disso vemos o quanto é útil a imprensa, que torna o público, e não alguns poucos, depositário das santas leis, e o quanto ela dissipou aquele espírito tenebroso de cabala e de intriga que desaparece perante os lumes e as ciências, aparentemente desprezadas e realmente temidas pelos seguidores desse espírito. Essa é a causa pela qual vemos diminuída na Europa a atrocidade dos delitos que faziam gemer os nossos antigos ancestrais, que se tornavam ora tiranos, ora escravos. Quem conhece a história de dois ou três séculos atrás e a nossa poderá ver como, do seio do luxo e dos prazeres, nasceram as mais suaves virtudes, a humanidade, a beneficência e a tolerância em relação aos erros humanos. Verá quais foram os efeitos daquela que é chamada erradamente de antiga simplicidade e boa-fé; a humanidade que geme sob a implacável superstição, a avareza, a ambição de poucos que tinge de sangue humano os cofres do tesouro e os tronos dos reis, as ocultas traições, os públicos assassinatos, os nobres que tiranizam a plebe e os ministros da verdade evangélica que sujam de sangue as mãos que todos os dias tocavam o Deus de mansuetude não são obras deste século iluminado, que alguns chamam de corrupto.

6
Proporção entre os delitos e as penas

É interesse comum não só que não se cometam delitos, mas também que sejam mais raros na proporção direta do mal que acarretam à sociedade. Portanto, os obstáculos que repelem os homens dos delitos devem ser maiores à medida que os delitos são mais contrários ao bem público e à medida que os impulsos que conduzem a eles são maiores. Portanto, deve haver uma proporção entre os delitos e as penas.

É impossível prevenir todas as desordens no universal combate das paixões humanas. Essas desordens crescem na proporção direta da população e do entrelaçamento dos interesses particulares que não podem ser dirigidos geometricamente à utilidade pública. Na aritmética política, é preciso substituir, à exatidão matemática, o cálculo das probabilidades. Se lançares um olhar sobre a história, verás crescer as desordens quanto mais se expandem os impérios e diminuir, na mesma proporção, o sentimento nacional, pois o impulso aos delitos cresce na proporção direta do interesse de cada um pelas mesmas desordens; por isso, a necessidade de agravar as penas está sempre aumentando.

Aquela força semelhante à gravidade, que nos impele ao nosso bem-estar, não diminui senão à medida que aumentam os obstáculos que lhe são opostos. Os efeitos dessa força são a confusa série das ações humanas; se elas se chocam mutuamente e se ofendem, as penas, que eu chamaria de *obstáculos políticos*, impedem o seu mau efeito sem destruir a causa impelente, que é a sensibilidade inseparável do homem; e o legislador atua como um hábil arquiteto, cujo ofício é opor-se às forças destrutivas da gravidade e fazer concordar aquelas que contribuem para a robustez do edifício.

Dada a necessidade de reunião dos homens e dados os pactos, que necessariamente resultam da oposição dos interesses privados, tem-se uma escala de desordens, da qual o primeiro grau consiste naquelas que destroem imediatamente a sociedade e, o último grau, na menor injustiça possível feita aos seus membros privados. Entre esses extremos estão compreendidas todas as ações opostas ao bem público, as quais são chamadas de delitos, e todas decrescem, em graus insensíveis, do mais grave ao mais ínfimo. Se a geometria fosse adaptável às infinitas e obscuras combinações das ações humanas, deveria haver uma escala correspondente de penas, que descendesse da mais severa à mais leve; mas bastará ao sábio legislador assinalar os seus pontos principais, sem perturbar a ordem e sem decretar, aos delitos do primeiro grau, as penas do último. Se houvesse uma escala exata e universal das penas e dos delitos, teríamos uma provável e comum medida dos graus de tirania e de liberdade, do fundo de humanidade ou de malícia das diversas nações.

Qualquer ação não compreendida entre os dois supramencionados limites não pode ser chamada de *delito* ou punida como tal; ela não é punida senão por aqueles que têm interesse em assim chamá-la. A incerteza desses limites produziu nas nações uma moral que contradiz a legislação, mais atuais legislações que se excluem mutuamente e uma multidão de leis que expõem o mais sábio às penas mais rigorosas, tornando vagos e flutuantes os nomes de *vício* e de *virtude* e dando origem à incerteza da própria existência, que produz o letargo e o sono fatal nos corpos políticos. Qualquer um que ler com olhos filosóficos os códigos das nações e os seus anais encontrará quase sempre os nomes de *vício* e de *virtude*, de *bom cidadão* e de *criminoso*[5] alterarem-se com a passagem dos séculos, não em razão das mutações que acontecem nas circunstâncias dos países e, consequentemente, sempre conformes ao interesse comum, mas em razão das paixões e dos erros que sucessivamente agitaram os diferentes legisladores. Verá bem frequentemente que as paixões de um século são a base da moral dos séculos futuros e que as paixões fortes, filhas do fanatismo e do entusiasmo, enfraquecidas e corroídas, por assim dizer, pelo tempo, que reduz todos os fenômenos físicos e morais ao equilíbrio, tornam-se pouco a pouco a prudência do século e o instrumento útil na mão do forte e do cauto. Desse modo nasceram as obscuríssimas noções de honra e de virtude, e são tais porque se alteram com a passagem do tempo, que mantém o nome das coisas, e com os rios e com as montanhas, que são bem frequentemente os confins da geografia não só física, mas também moral.

Se o prazer e a dor são os motores dos seres sensíveis, se, entre os motivos que impelem os homens também às mais sublimes operações foram colocados, pelo invisível legislador, o prêmio e a pena, da inexata distribuição de ambos nascerá aquela contradição tanto menos observada quanto mais comum de que as penas punem os delitos que elas fazem nascer. Se uma pena igual é destinada a dois delitos que desigualmente ofendem a sociedade, os homens não encontrarão o maior obstáculo para cometer o maior delito, já que a este encontram unida a maior vantagem.

7
Erros na medida das penas

As precedentes reflexões dão-me o direito de asserir que a única e verdadeira medida dos delitos é o dano que fazem à nação, e, assim, erraram aqueles que consideraram verdadeira medida dos delitos a intenção de quem os comete. Essa intenção depende da impressão atual dos objetos e da precedente disposição da mente: ambas variam em todos os homens e em cada homem com a velocíssima sucessão das ideias, das paixões e das circunstâncias. Seria, portanto, necessário formar não só um código particular para cada cidadão, mas também uma nova lei para cada delito. Às vezes, os homens com a melhor intenção fazem o maior mal à sociedade; outras vezes, com a pior vontade fazem-lhe o maior bem.

Outros medem os delitos mais pela dignidade da pessoa ofendida do que pela sua consequência ao bem público. Se essa fosse a verdadeira medida dos delitos, uma irreverência ao Ser dos seres deveria mais atrozmente ser punida do que o assassinato de um monarca, pois a superioridade da natureza divina ultrapassa infinitamente a diferença da ofensa.

Finalmente, alguns pensaram que a gravidade do pecado entrasse na medida dos delitos. A falácia dessa opinião saltará aos olhos de um indiferente examinador das verdadeiras relações entre os homens e entre os homens e Deus. As relações da primeira espécie são de igualdade. Somente a necessidade fez nascer do choque das paixões e da oposição dos interesses a ideia de *utilidade comum*, que é a base da justiça humana; as relações da segunda espécie são de dependência de um Ser perfeito e criador, que reservou a si só o direito de ser ao mesmo tempo legislador e juiz, porque só Ele pode o ser sem inconveniente. Se Ele estabeleceu penas eternas a quem desobedece à sua onipotência, qual será o inseto que ousará suprir a divina justiça, qual desejará vingar o Ser que basta a si mesmo, que não pode receber dos objetos impressão alguma de prazer ou de dor e que só entre todos os seres age sem reação? A gravidade do pecado depende da imperscrutável malícia do coração, a qual não pode, sem revelação, ser conhecida por seres finitos. Como, portanto, dessa malícia se tirará a medida para punir os delitos? Poderão, neste caso, os homens punir quando Deus perdoa e perdoar quando Deus pune. Se os homens podem contradizer o Onipotente quando o ofendem, podem também o contradizer quando punem.

8

Divisão dos delitos

Vimos que a verdadeira medida dos delitos é *o dano à sociedade*. Essa é uma daquelas palpáveis verdades que, por mais que não precisem nem de quadrantes, nem de telescópios para serem descobertas e que estejam ao alcance de todos os medíocres intelectos, por uma maravilhosa combinação de circunstâncias não são conhecidas com absoluta certeza senão por alguns poucos pensadores, homens de todas as nações e de todos os séculos. Mas as opiniões asiáticas e as paixões revestidas de autoridade e de poder dissiparam as simples noções, na maioria das vezes, por insensíveis impulsos e, raramente, por violentas impressões sobre a tímida credulidade dos homens; essas simples noções talvez formassem a primeira filosofia das nascentes sociedades e a elas a luz deste século parece nos conduzir, com aquela maior firmeza que pode ser subministrada por um exame geométrico, por mil funestas experiências e pelos próprios obstáculos. A ordem dos argumentos agora nos conduziria a examinar e a distinguir todas as diferentes espécies de delitos e a maneira de puni-los, se a variável natureza destes, por causa das diversas circunstâncias dos séculos e dos lugares, não nos obrigasse a um detalhismo imenso e enfadonho. Bastar-me-á indicar os princípios mais gerais e os erros mais funestos e comuns para desenganar seja aqueles que, por um mal-entendido amor à liberdade, desejariam introduzir a anarquia como aqueles que amariam reduzir os homens a uma claustral regularidade.

Alguns delitos destroem imediatamente a sociedade ou quem a representa; alguns ofendem a privada segurança de um cidadão na vida, nos bens ou na honra; alguns outros são ações contrárias ao que cada um é obrigado, pelas leis, a fazer ou não em vista do bem público. Os delitos da primeira espécie, que são os maiores, porque mais danosos, são chamados de lesa-majestade. Somente a tirania e a ignorância, que confundem os vocábulos e as ideias mais claras, podem dar esse nome e, consequentemente, a maior pena aos delitos de diferente natureza e, assim, tornar os homens, como em mil outras ocasiões, vítimas de uma palavra. Todo delito, ainda que privado, ofende a sociedade, mas nem todo delito tenta a sua imediata destruição. As ações morais, como as físicas, têm uma esfera limitada de ação e são diversamente circunscritas, como todos os movimentos da natureza, pelo tempo e pelo espaço; assim, somente a cavilosa interpretação, que é, ordinariamente, a filosofia da escravidão, pode confundir o que a eterna verdade, com imutáveis relações, distinguiu.

Depois destes seguem os delitos contrários à segurança de cada particular. Sendo esta o fim primário de toda legítima associação, não se pode deixar de atribuir à violação do direito de segurança adquirido por cada cidadão uma das penas mais consideráveis que as leis estabelecem.

A opinião que cada cidadão deve ter de poder fazer tudo o que não é contrário às leis, sem temer um inconveniente além daquele que pode nascer da própria ação, é o dogma político que deveria ser aceito pelos povos e predicado pelos supremos magistrados com a incorrupta custódia das leis; sacro dogma, sem o qual não pode haver legítima sociedade, justa recompensa pelo sacrifício feito pelos homens daquela liberdade de ação sobre todas as coisas, liberdade que é comum a todos os seres sensíveis e limitada somente pelas forças de cada um. Esse dogma forma as almas livres e vigorosas e as mentes esclarecidas, torna os homens virtuosos daquela virtude que sabe resistir ao temor, não daquela maleável prudência, digna somente de quem pode sofrer uma existência precária e incerta. Os atentados, portanto, contra a segurança e a liberdade dos cidadãos estão entre os maiores delitos, e nessa classe estão compreendidos não só os assassinatos e os furtos cometidos por homens plebeus, mas também aqueles cometidos pelos grandes e pelos magistrados, cuja influência tem maior alcance e maior vigor, destruindo nos súditos as ideias de justiça e de dever e substituindo-as por aquela do direito do mais forte, igualmente perigoso para quem o exercita e para quem o sofre.

9

Da honra

Há uma contradição notável entre as leis civis, leais protetoras, mais do que de qualquer outra coisa, do corpo e dos bens de cada cidadão, e as leis do que é chamado de *honra*, como prefere a opinião. A palavra *honra* é uma daquelas que serviu de base a longos e brilhantes raciocínios, que, porém, não lhe associaram nenhuma ideia fixa e estável. Miserável a condição das mentes humanas, em que as longíssimas e menos importantes ideias das revoluções dos corpos celestes estão presentes com mais distinto conhecimento do que as próximas e importantíssimas noções morais, sempre flutuantes e confusas, conforme os ventos das paixões as impelem e a ignorância cega as recebe e as transmite! Mas desaparecerá o aparente paradoxo se se considerar que, assim como os objetos demasiado próximos aos olhos se confundem, a demasiada proximidade das ideias morais faz que facilmente se misturem as muitíssimas ideias simples que as compõem e faz que se confundam as suas linhas de separação, necessárias ao espírito geométrico que deseja medir os fenômenos da humana sensibilidade. E diminuirá totalmente a maravilha no indiferente indagador das coisas humanas, que suspeitará não haver por acaso necessidade de tanto aparato moral, nem de tantos vínculos para tornar os homens felizes e seguros.

A *honra*, portanto, é uma daquelas ideias complexas que são um agregado não só de ideias simples, mas também de ideias igualmente complicadas, que, na sua vária apresentação à mente, às vezes admitem e às vezes excluem alguns dos diversos elementos que as compõem; elas não conservam senão algumas poucas ideias comuns, assim como muitas e complexas operações algébricas admitem um divisor comum. Para encontrar esse divisor comum nas várias ideias que os homens formam da *honra*, é necessário lançar rapidamente um olhar sobre a formação da sociedade. As primeiras leis e os primeiros magistrados nasceram da necessidade de reparar as desordens do despotismo físico de cada homem; esse foi o fim instituidor da sociedade, e esse fim primário sempre se conservou, real ou aparentemente, na concepção de todos os códigos, mesmo dos destruidores; mas a aproximação dos homens e o progresso dos seus conhecimentos fizeram nascer uma infinita série de ações e de necessidades recíprocas, sempre superiores à providência das leis e inferiores ao atual poder de cada um. Àquela época, começou o despotismo da opinião, que era o único meio de obter dos outros aqueles bens que as leis não podiam prover e de afastar de si aqueles males que elas não podiam impedir. Essa opinião é aquela que atormenta o sábio e o vulgar, que deu mais crédito à aparência da virtude do que à própria virtude, que torna missionário mesmo o celerado, porque nele encontra o seu próprio interesse. Assim, os sufrágios dos homens tornaram-se não só úteis, mas também necessários para que estes não caíssem abaixo do nível comum. Assim, se o ambicioso os conquista como úteis, se o vão os mendiga como testemunhas do seu próprio mérito, vê-se o homem de honra exigi-los como necessários. Essa *honra* é uma condição que muitíssimos homens acrescentam à sua própria existência. Originada depois da formação da sociedade, a honra não pôde ser colocada no depósito comum, ou melhor, ela é um instantâneo retorno ao estado natural e uma subtração momentânea da própria pessoa àquelas leis que não defendem suficientemente um cidadão.

Assim, na extrema liberdade política e na extrema dependência, as ideias de honra desaparecem ou são confundidas perfeitamente com outras: porque, na primeira extremidade, o despotismo das leis torna inútil a busca pelos sufrágios alheios e, na segunda, porque o despotismo dos homens, anulando a existência civil, submete-os a uma precária e momentânea personalidade. A honra é, portanto, um dos princípios fundamentais daquelas monarquias que são um despotismo diminuído e aquilo que, nos Estados despóticos, são as revoluções, um momento de retorno ao estado de natureza e uma lembrança ao patrão da antiga igualdade.

10
Dos duelos

Dessa necessidade dos sufrágios alheios nasceram os duelos privados, que tiveram origem precisamente na anarquia das leis. Pretendem-se desconhecidos na Antiguidade, talvez porque os antigos não se adunassem suspeitosamente armados nos templos, nos teatros e com os amigos, ou talvez porque o duelo fosse um espetáculo ordinário e comum que os gladiadores escravos e aviltados davam ao povo, enquanto os homens livres desdenhavam serem considerados e chamados de gladiadores por causa de privados combates. Em vão os éditos de morte contra qualquer um que aceita um duelo buscaram extirpar esse costume, que tem seu fundamento no que alguns homens temem mais do que a morte, pois o homem de honra, sendo privado dos sufrágios alheios, teme se tornar um ser meramente solitário, estado insuportável para um homem sociável, ou o alvo dos insultos e da infâmia, que, com a sua repetida ação, prevalecem sobre o perigo da pena. Por qual motivo o diminuto povo, na maioria das vezes, não duela como os grandes? Não só porque é desarmado, mas também porque a necessidade dos sufrágios alheios é menos comum na plebe do que naqueles que, sendo mais elevados, veem-se com maior suspeita e inveja.

Não é inútil repetir o que outros escreveram, isto é, que o melhor método para prevenir esse delito é punir o agressor, isto é, quem deu ocasião ao duelo, e declarar inocente quem, sem culpa, foi constrangido a defender o que as leis atuais não asseguram, isto é, a opinião, e precisou mostrar aos seus concidadãos que teme somente as leis, e não os homens.

11
Da tranquilidade pública

Finalmente, entre os delitos da terceira espécie estão particularmente aqueles que perturbam a tranquilidade pública e a quietude dos cidadãos, como os estrépitos e as farras nas vias públicas, destinadas ao comércio e à passagem dos cidadãos, e os fanáticos sermões, que excitam as fáceis paixões da curiosa multidão e adquirem força da frequência dos ouvintes e mais do obscuro e misterioso entusiasmo do que da clara e tranquila razão, que nunca opera sobre uma grande massa de homens.

A noite iluminada com dinheiro público, os guardas distribuídos nos diferentes cantos da cidade, os simples e morais discursos da religião, reservados ao silêncio e à sacra tranquilidade dos templos protegidos pela autoridade pública, as arengas destinadas a sustentar os interesses privados e públicos nas adunações da nação, nos parlamentos ou onde reside a majestade do soberano são meios eficazes de prevenir o perigoso adensamento das populares paixões. Estes formam o ramo principal da vigilância do magistrado, ramo que os franceses chamam de *police*; mas se esse magistrado operar com leis arbitrárias e instáveis de um código que circula entre as mãos de todos os cidadãos, abrir-se-á uma porta à tirania, que sempre circunda todos os confins da liberdade política. Eu não encontro qualquer exceção ao axioma geral de que cada cidadão deve saber quando é culpado e quando é inocente. A necessidade de censores e, em geral, de magistrados arbitrários em um governo nasce da fraqueza da sua constituição, não da natureza de um governo bem organizado. A incerteza da própria sorte sacrificou mais vítimas à obscura tirania do que a pública e solene crueldade. Essa incerteza revolta os ânimos mais do que os avilta. O verdadeiro tirano começa sempre reinando sobre a opinião, que previne a coragem, a qual só pode resplender na clara luz da verdade, no fogo das paixões ou na ignorância do perigo.

Mas quais serão as penas convenientes a esses delitos? A morte é uma pena verdadeiramente *útil* e *necessária* para a segurança e a boa ordem da sociedade? A tortura e os tormentos são *justos* e obtêm *o fim* a que se propõem as leis? Qual é a melhor maneira de prevenir os delitos? As mesmas penas são igualmente úteis em todos os tempos? Qual influência têm elas sobre os costumes? Esses problemas merecem ser resolvidos com aquela precisão geométrica à qual a névoa dos sofismas, a sedutora eloquência e a tímida dúvida não podem resistir. Se eu não tivesse outro mérito além de ter sido o primeiro a ter apresentado à Itália, com maior evidência, o que outras nações ousaram escrever e começaram a praticar, eu estimar-me-ia fortunado; mas se, sustentando os direitos dos homens e da invencível verdade, eu contribuísse para arrancar das agonias e das angústias da morte alguma vítima desfortunada da tirania ou da ignorância, igualmente fatal, as bendições e as lágrimas de mesmo um único inocente no transporte da alegria consolar-me-iam do desprezo dos homens.

12
Fim das penas

Da simples consideração das verdades até aqui expostas torna-se evidente que o fim das penas não é atormentar e afligir um ser sensível, nem desfazer um delito já cometido. Pode essa inútil crueldade, instrumento do furor e do fanatismo ou dos fracos tiranos, ser abrigada em um corpo político, que, bem longe de agir por paixão, é o tranquilo moderador das paixões particulares? Os gritos de um infeliz revocam, talvez do tempo, que não retorna, as ações já consumadas? O fim das penas, portanto, não é outro além de impedir o criminoso de fazer novos danos aos seus concidadãos e de inibir os outros de fazer danos iguais. As penas, portanto, e o método de infligi-las devem ser escolhidos de modo a causar, guardada a proporção, a impressão mais eficaz e mais durável no ânimo dos homens e o menor tormento no corpo do criminoso.

13
Das testemunhas

É um ponto considerável, em toda boa legislação, determinar exatamente a credibilidade das testemunhas e as provas do reato. Todo homem racional, isto é, cujas ideias têm certa conexão e cujas sensações são conformes àquelas dos outros homens, pode ser testemunha. A verdadeira medida da sua credibilidade não é senão o interesse que ele tem de dizer ou não a verdade, o que torna frívolo o argumento da fraqueza das mulheres, pueril a aplicação dos efeitos da morte real sobre a morte civil nos condenados, e incoerente a nota de infâmia sobre os infames quando eles não têm nenhum interesse de mentir. A credibilidade de uma testemunha, portanto, deve diminuir na proporção inversa do ódio, da amizade ou das estreitas relações que existem entre ela e o réu. Mais de uma testemunha é necessária, porque, enquanto um assere e o outro nega, nada há de certo, e prevalece o direito que cada um tem de ser considerado inocente. A credibilidade de uma testemunha torna-se sensivelmente menor à medida que cresce a atrocidade de um delito[6] ou a inverosimilhança das circunstâncias; tais são, por exemplo, a magia e as ações gratuitamente cruéis. É muito provável que muitos homens mintam na acusação de magia, porque é mais fácil que se combine em muitos homens a ilusão da ignorância ou o ódio perseguidor do que um homem exercitar um poder que Deus não deu ou retirou de todos os seres criados. O mesmo acontece na acusação de ações gratuitamente cruéis, porque o homem não é cruel senão na proporção direta do seu próprio interesse, do ódio ou do temor que concebe. Não há propriamente nenhum sentimento supérfluo no homem; os sentimentos são sempre proporcionais ao resultado das impressões feitas nos sentidos. Igualmente, a credibilidade de uma testemunha pode ser diminuída se ela for membro de uma sociedade privada cujos usos e princípios são mal conhecidos ou diversos dos públicos. Tal homem tem não só as suas próprias paixões, mas também as alheias.

Finalmente, é quase nula a credibilidade do testemunho quando se faz de palavras um delito, pois o tom da voz, o gesto e tudo o que precede e se segue às diferentes ideias que os homens associam às palavras alteram e modificam de tal maneira os discursos de um homem que é quase impossível repeti-las exatamente como foram ditas. Além disso, as ações violentas e fora do uso ordinário, como são os verdadeiros delitos, deixam rastros de si na multidão das circunstâncias e nos efeitos que delas derivam, mas as palavras não permanecem senão na memória, na maioria das vezes, infiel e, frequentemente, seduzida dos ouvintes. É, portanto, muito mais fácil uma calúnia sobre as palavras do que sobre as ações de um homem, pois, no segundo caso, quanto mais circunstâncias se aduz como prova, tanto mais meios se subministra ao criminoso para se justificar.

14
Indícios e formas
de julgamento

Há um teorema geral muito útil para calcular a certeza de um fato, por exemplo, a força dos indícios de um reato. Quando as provas de um fato são dependentes uma da outra, isto é, quando os indícios não se provam senão entre eles, quanto mais provas se aduz, tanto menor é a probabilidade do fato, porque os casos que fariam faltar as provas antecedentes fazem faltar as subsequentes. Quando todas as provas de um fato dependem igualmente de uma só, o número das provas não aumenta, nem diminui a probabilidade do fato, porque todo o seu valor se reduz ao valor daquela única da qual dependem. Quando as provas são independentes uma da outra, isto é, quando os indícios se provam de outro modo que não entre si, quanto mais provas se aduz, tanto mais cresce a probabilidade do fato, porque a falácia de uma prova não influi na outra. Eu falo de probabilidade em matéria de delitos, que, para merecerem uma pena, devem ser provados. Desvanecer-se-á o paradoxo para quem considerar que, rigorosamente, a certeza moral não é senão uma probabilidade, mas uma probabilidade tal que é chamada de certeza, porque todo homem de bom-senso necessariamente consente com tal denominação por causa de um costume nascido da necessidade de agir e anterior a toda especulação; a certeza que se requer para se confirmar um homem como culpado é, portanto, aquela que todo homem determina nas operações mais importantes da vida. Podem ser distinguidas as provas de um reato em perfeitas e imperfeitas. Chamo perfeitas aquelas que excluem a possibilidade de que um homem não seja culpado e imperfeitas aquelas que não a excluem. Da primeira espécie, mesmo uma só é suficiente para a condenação; da segunda, tantas são necessárias quantas bastarem para formar uma perfeita, o que equivale dizer que, se é possível que um homem não seja culpado quando cada prova é considerada em particular, essa possibilidade não existe quando todas as provas são consideradas juntas. Note-se que as provas imperfeitas das quais pode o réu justificar-se, mas não o faz, necessariamente se tornam perfeitas. Mas essa certeza moral de provas é mais fácil tê-la do que defini-la exatamente. Por isso, eu considero ótima a lei que estabelece ao juiz principal assessores eleitos pela sorte, não por alguém, porque, nesse caso, é mais segura a ignorância que julga por sentimento do que a ciência que julga por opinião. Onde as leis são claras e precisas, o ofício do juiz não consiste em outra coisa além de confirmar o fato. Se, na busca das provas de um delito, requer-se habilidade e destreza, se, na apresentação do resultado, são necessárias clareza e precisão, para julgar a partir do resultado não se requer senão um simples e ordinário bom senso, menos falaz do que o saber de um juiz acostumado a querer reconhecer criminosos e que tudo reduz a um sistema factício emprestado dos seus estudos. Feliz a nação em que as leis não são ciência! É utilíssima a lei que determina que todos os homens sejam julgados pelos seus pares, porque, quando se trata da liberdade e da fortuna de um cidadão, devem calar-se aqueles sentimentos que inspiram a desigualdade; aquela superioridade com a qual o homem fortunado olha o infeliz e aquele desdém com o qual o inferior olha o superior não podem influenciar o julgamento. Mas quando o delito é uma ofensa de um terceiro, então os juízes devem ser metade pares do réu e metade pares do ofendido; assim, sendo contrabalançados todos os interesses privados que modificam, mesmo que involuntariamente, as aparências dos objetos, não falarão senão as leis e a verdade. É ainda conforme a justiça que o réu possa excluir, até certo ponto, os juízes que lhe são suspeitos; e se isto lhe for concedido sem contradição por algum tempo, parecerá que o réu condena a si mesmo. Públicos sejam os julgamentos e públicas sejam as provas do reato, para que a opinião, que é talvez o único cimento da sociedade, imponha um freio à força e às paixões, e para que o povo diga: "não somos escravos, mas defendidos", sentimento que inspira coragem e que equivale a um tributo para o soberano que conhece os seus verdadeiros interesses. Eu não mencionarei os outros detalhes e as outras cautelas que requerem semelhantes instituições. Eu nada teria dito, se fosse necessário dizer tudo.

15
Acusações secretas

Evidentes, mas consagradas desordens e, em muitas nações, feitas necessárias por causa da fraqueza da constituição são as acusações secretas. Tal costume torna os homens falsos e simulados. Qualquer um que suspeitar ver no outro um delator verá nele um inimigo. Os homens, então, acostumam-se a mascarar os seus próprios sentimentos e, com o uso de escondê-los dos outros, chegam finalmente a escondê-los de si mesmos. Infelizes os homens que chegam a esse ponto: sem princípios claros e imóveis que os guiam, erram perdidos e flutuantes no vasto mar das opiniões, sempre ocupados em salvar-se dos monstros que os ameaçam; passam o momento presente sempre amargurados pela incerteza do futuro; privados dos duráveis prazeres da tranquilidade e segurança, poucas alegrias, espalhadas aqui e ali na sua triste vida e com pressa e desordem devoradas, mal e mal os consolam por terem vivido. E faremos nós desses homens os intrépidos soldados defensores da pátria ou do trono? E entre eles reconheceremos os incorruptos magistrados que, com livre e patriótica eloquência, sustentarão e desenvolverão os verdadeiros interesses do soberano, magistrados que, com os tributos, levarão ao trono o amor e as bendições de todos os estratos sociais, magistrados que levarão aos palácios e às cabanas a paz, a segurança e a industriosa esperança de melhorar a sorte, útil fermento e vida dos Estados?

Quem pode se defender da calúnia, quando ela está armada com o mais forte escudo da tirania, o *segredo*? Que tipo de governo é aquele no qual quem rege suspeita, em cada súdito, um inimigo e é constrangido, para manter a paz pública, a retirar esse suposto inimigo de cada um?

Quais são os motivos com os quais se justificam as acusações e as penas secretas? A saúde pública, a segurança e o mantenimento da forma de governo? Mas qual estranha constituição faz quem tem a força e a opinião, esta mais eficaz do que aquela, temer cada cidadão? É garantir a indenidade do acusador? As leis, então, não o defendem suficientemente. E haverá súditos mais fortes do que o soberano! É evitar a infâmia do delator? Autoriza-se, então, a calúnia secreta e pune-se a pública! Ou é devido à natureza do delito? Se as ações indiferentes e também as úteis ao público são chamadas de delitos, as acusações e os julgamentos nunca são suficientemente secretos. Pode haver delitos, isto é, ofensas públicas, e que, ao mesmo tempo, não seja interesse de todos a publicidade do exemplo, isto é, a do julgamento? Eu respeito todos os governos e não falo de nenhum em particular; tal é, às vezes, a natureza das circunstâncias, em que a remoção de um mal, quando ele é inerente ao sistema de uma nação, pode ser considerada a extrema ruína; mas se eu tivesse que ditar novas leis, em algum canto abandonado do universo, antes de autorizar as acusações e as penas secretas, tremeria a mão e teria toda a posteridade diante dos olhos.

Já foi dito pelo Senhor Montesquieu que as públicas acusações são mais conformes à república, em que o bem público deve formar a primeira paixão dos cidadãos, do que à monarquia, em que esse sentimento é fraquíssimo pela própria natureza do governo e em que o melhor estabelecimento é destinar comissários que, em nome público, acusam os infratores das leis. Mas todos os governos, tanto os republicanos quanto os monárquicos, devem dar ao caluniador a pena que tocaria ao acusado.

16
Da tortura

Uma crueldade consagrada pelo uso na maioria das nações é a tortura do réu durante o processo para constrangê-lo a confessar um delito ou a esclarecer as contradições nas quais incorre, para descobrirem-se os cúmplices, para não sei qual metafísica e incompreensível purgação de infâmia ou, finalmente, para descobrirem-se outros delitos dos quais poderia ser culpado, mas dos quais não é acusado.

Um homem não pode ser chamado de *criminoso* antes da sentença do juiz, nem a sociedade pode retirar-lhe a proteção pública senão quando se decide que ele violou os pactos por meio dos quais essa proteção foi-lhe concedida. Qual é, portanto, o direito, senão o da força, que dá ao juiz o poder de infligir uma pena a um cidadão enquanto se duvida da sua culpa ou inocência? Não é novo esse dilema: um delito é provado ou improvado; se é provado, não lhe convém pena senão a estabelecida pelas leis, e são inúteis os tormentos, porque é inútil a confissão do réu; se é improvado, não se deve atormentar um inocente, porque tal é, segundo as leis, um homem cujos delitos não são provados. Mas eu acrescento que é querer confundir todas as relações exigir que um homem seja, ao mesmo tempo, acusador e acusado, que a dor se torne o crisol da verdade, como se o critério desta residisse nos músculos e nas fibras de um miserável. Esse é o meio seguro de absolver os robustos celerados e de condenar os fracos inocentes. Eis os fatais inconvenientes desse pretenso critério de verdade, critério digno de um canibal, que os romanos, bárbaros eles também por mais de um título, reservavam somente aos escravos, vítimas de uma feroz e demasiadamente louvada virtude.

Qual é o fim político das penas? O terror dos outros homens. Mas como devemos nós julgar as secretas e privadas carnificinas, que a tirania do uso exercita sobre os culpados e sobre os inocentes? É importante que cada delito manifesto não fique impune, mas é inútil que se confirme quem cometeu um delito que está sepulto nas trevas. Um mal já feito e para o qual não há remédio não pode ser punido pela sociedade política senão quando influi nos outros cidadãos com a adulação da impunidade. Se é verdade que o número de homens que, por temor ou por virtude, respeitam as leis é maior do que o daqueles que as infringem, o risco de atormentar um inocente deve ser tanto mais avaliado quanto maior é a probabilidade de que um homem, em circunstâncias iguais, tenha mais respeitado as leis do que as desprezado.

Outro ridículo motivo da tortura é a purgação da infâmia, isto é, um homem julgado infame pelas leis deve liberar-se da mácula com o deslocamento dos seus ossos. Esse abuso não deveria ser tolerado no século XVIII. Crê-se que a dor, que é uma sensação, purgue a infâmia, que é uma mera relação moral. Seria talvez a dor um crisol? E seria talvez a infâmia um corpo misto impuro? Não é difícil retornar à origem dessa ridícula lei, porque os absurdos adotados por uma nação inteira têm sempre alguma relação com outras ideias comuns e respeitadas pela mesma nação. Parece que esse uso foi tomado das ideias religiosas e espirituais, que têm enorme influência sobre os pensamentos dos homens, sobre as nações e sobre os séculos. Um dogma infalível assegura-nos que as máculas contraídas pela fraqueza humana que não mereceram a ira eterna do grande Ser devem ser purgadas por um fogo incompreensível; ora, sendo a infâmia uma mácula civil, porque as agonias da tortura não a eliminam, assim como a dor e o fogo eliminam as máculas espirituais e incorpóreas? Eu creio que a confissão do criminoso, que, em alguns tribunais, é exigida como essencial à condenação, tenha uma origem semelhante, porque, no misterioso tribunal da penitência, a confissão dos pecados é parte essencial do sacramento. Eis como os homens abusam dos lumes mais seguros da revelação; e porque estes são os únicos que subsistem nos tempos de ignorância, a eles recorre a dócil humanidade em todas as ocasiões e deles faz as mais absurdas e longínquas aplicações. Mas a infâmia é um sentimento que não está sujeito nem às leis, nem à razão, mas à opinião comum. A tortura causa uma real infâmia a quem dela é vítima. Portanto, com esse método elimina-se a infâmia dando a infâmia.

O terceiro motivo é a tortura que é dada aos supostos culpados quando, no interrogatório, caem em contradição, como se o temor da pena, a incerteza do julgamento, o aparato e a majestade do juiz, e a ignorância, comum a quase todos os celerados e aos inocentes, não devessem provavelmente fazer cair em contradição o inocente que teme e o culpado que busca simular; como se as contradições, comuns aos homens quando estão tranquilos, não devessem multiplicar-se na perturbação do ânimo totalmente absorvido pelo pensamento de salvar-se do iminente perigo.

Esse infame crisol da verdade é um monumento ainda existente da antiga e selvagem legislação, em que eram chamadas de *juízos* de Deus as provas do fogo e da água fervente e a incerta sorte dos exércitos, como se as argolas da eterna corrente, que está no seio da primeira Causa, devessem a todo momento ser desordenadas e desconectadas pelos frívolos estabelecimentos humanos. A única diferença que há entre a tortura e as provas do fogo e da água fervente é que o resultado daquela depende da vontade do réu e, o resultado destas, de um fato puramente físico e extrínseco; mas essa diferença é só aparente, e não real. Há tão pouca liberdade agora para dizer-se a verdade entre as agonias e os dilaceramentos quanto havia antigamente para impedirem-se, sem fraude, os efeitos do fogo e da água fervente. Todo ato da nossa vontade é sempre proporcional à força da impressão sensível, que é a fonte da nossa vontade, e a sensibilidade de cada homem é limitada. Portanto, a impressão da dor pode crescer a tal ponto que, ocupando todos os sentidos do torturado, não lhe deixa nenhuma liberdade senão escolher a estrada mais curta, no momento presente, para subtrair-se à pena. Então a resposta do réu é tão necessária quanto as impressões do fogo ou da água. Então o inocente sensível chamar-se-á de culpado se acreditar que, com isso, fará cessar o tormento. Toda diferença entre esses meios desaparece por aquele mesmo que se pretende empregado para encontrá-la. É supérfluo aumentar o lume citando os inumeráveis exemplos de inocentes que se confessaram culpados por causa das agonias da tortura; não há nação, não há época que não cite os seus, mas nem os homens se alteram, nem inferem as consequências. Não há homem que tenha impelido as suas ideias além das necessidades da vida e que, às vezes, não corra à natureza, que com secretas e confusas vozes chama-o para si; mas o uso, tirano das mentes, afasta-o e assusta-o. O resultado, portanto, da tortura é uma questão de temperamento e de cálculo, que varia em cada homem na proporção da sua robustez e da sua sensibilidade; tanto é que, com esse método, um matemático resolveria melhor do que um juiz esse problema: Dada a força dos músculos e a sensibilidade das fibras de um inocente, como encontrar o grau de dor que o fará se confessar culpado de um dado delito?

O interrogatório de um réu é feito para conhecer-se a verdade, mas se dificilmente se descobre a verdade no aspecto, no gesto ou na fisionomia de um homem tranquilo, muito menos se a descobrirá em um homem em quem as convulsões da dor alteram todos os sinais do vulto, pelos quais, na maioria dos homens, às vezes transpira, mesmo que não queiram, a verdade. Toda ação violenta confunde e faz desaparecer as menores diferenças dos objetos pelos quais se distingue, às vezes, o verdadeiro do falso.

Essas verdades eram conhecidas pelos legisladores romanos, entre os quais não se encontra o uso de qualquer tortura senão sobre os escravos, dos quais era retirada toda personalidade; essas verdades são conhecidas na Inglaterra, nação onde a glória das letras, a superioridade do comércio, das riquezas e, por isso, da potência, e os exemplos de virtude e de coragem não nos deixam duvidar da bondade das leis. A tortura foi abolida na Suécia por um dos mais sábios monarcas da Europa, legislador amigo dos seus súditos; tendo conduzido a filosofia ao trono, ele tornou-os iguais e livres perante as leis, única igualdade e liberdade que podem os homens racionais exigir nas presentes combinações das coisas. A tortura não é considerada necessária pelas leis dos exércitos, que são compostos, em grande parte, pela escória das nações e que, por isso, deveriam mais do que qualquer outro estrato dela servir-se. É estranho para quem não considera quão grande é a tirania do uso que as pacíficas leis devam aprender dos ânimos endurecidos pelos assassinatos e pelo sangue o mais humano método de julgar.

Essa verdade é finalmente reconhecida, ainda que confusamente, pelos mesmos que dela se afastam. Não vale a confissão feita durante a tortura se não é confirmada com juramento depois desta cessar, mas se o réu não confirma o delito, é de novo torturado. Alguns doutores e algumas nações não permitem essa infame petição de princípio senão por três vezes; outras nações e outros doutores deixam-na ao arbítrio do juiz; de dois homens igualmente inocentes ou culpados, o robusto e corajoso será absolvido e o fraco e tímido, condenado, em virtude desse exato raciocínio: *Eu, juiz, devia reconhecer-vos culpados de tal delito; tu, vigoroso, soubeste resistir à dor, e, assim, absolvo-te; tu, fraco, a ela cedeste, e, assim, condeno-te. Reconheço que a confissão arrebatada de vós entre os tormentos não tem nenhuma força, mas eu de novo vos atormentarei se não confirmardes o que confessastes.*

Uma estranha consequência que necessariamente deriva do uso da tortura é que o inocente é posto em condição pior do que a do culpado: se a ambos é aplicado o tormento, o primeiro tem todas as conjunturas contrárias, porque ou confessa o delito e é condenado ou é declarado inocente e sofreu uma pena indevida; mas o culpado tem um destino favorável quando, resistindo à tortura com firmeza, deve ser absolvido como inocente; trocou uma pena maior por uma menor. Portanto, o inocente não pode senão perder e o culpado pode ganhar.

A lei que recomenda a tortura é uma que diz: *Homens, resisti à dor, e se a natureza criou em vós um inextinguível amor próprio, se ela vos deu um inalienável direito para a vossa defesa, eu crio em vós um sentimento totalmente contrário, isto é, um heroico ódio de vós mesmos, e ordeno-vos que vos acuseis, dizendo a verdade mesmo durante os dilaceramentos dos músculos e os deslocamentos dos ossos.*

Dá-se a tortura para descobrir-se se o réu é culpado de outros delitos além daqueles dos quais é acusado, o que equivale a esse raciocínio: *Tu és culpado de um delito; portanto, é possível que o sejas de outros cem; essa dúvida pesa-me, quero conferi-la com o meu critério de verdade; as leis recomendam que sejas atormentado, porque és culpado, porque podes ser culpado, porque quero que sejas culpado.*

Finalmente, a tortura é dada a um acusado para descobrirem-se os cúmplices do seu delito; mas se está demonstrado que ela não é um meio apropriado para descobrir a verdade, como poderá ela servir para revelar os cúmplices, o que é uma das verdades a ser descoberta? Como se o homem que acusa a si mesmo não acusasse mais facilmente os outros. É justo atormentar um homem pelo delito de outro? Não se descobrirão os cúmplices com o interrogatório das testemunhas, com o interrogatório do réu, com as provas e o corpo do delito, em suma, com todos os meios que devem servir para confirmar o delito do acusado? Os cúmplices, em geral, fogem imediatamente depois da prisão do companheiro, e a incerteza da sorte daqueles condena-os ao exílio e libera a nação do perigo de novas ofensas, enquanto a pena do criminoso que está preso obtém o seu único fim, isto é, evitar com o terror que os outros homens cometam um semelhante delito.

17
Do fisco

Houve já um tempo em que quase todas as penas eram pecuniárias. Os delitos dos homens eram o patrimônio do príncipe. Os atentados contra a segurança pública eram um objeto de luxo. Quem estava destinado a defendê-la tinha interesse de vê-la ofendida. O objeto das penas era, portanto, uma lite entre o fisco (o exator das penas) e o réu; era uma questão civil, contenciosa, mais privada do que pública e que dava ao fisco outros direitos além daqueles subministrados pela defesa pública e ao réu outros erros além daqueles nos quais havia incorrido, pela necessidade do exemplo. O juiz era, portanto, mais um advogado do fisco do que um indiferente investigador da verdade, um agente do erário fiscal ao invés de um protetor e ministro das leis. Mas porque, nesse sistema, confessar-se delinquente era confessar-se devedor do fisco, o que era o escopo dos procedimentos criminais de então, a confissão do delito, combinada de maneira que favorecesse, e não prejudicasse, as razões fiscais, tornou-se e ainda é (os efeitos sempre continuam muitíssimo depois de terem cessado as causas) o centro em torno do qual giram todos os dispositivos criminais. Sem a confissão, um criminoso convicto com provas indubitáveis terá uma pena menor do que a estabelecida; sem a confissão, não sofrerá a tortura por causa de outros delitos da mesma espécie que possa ter cometido. Com a confissão, o juiz apodera-se do corpo do réu e dilacera-o com metódicas formalidades para dele arrebatar, como de um fundo adquirido, todo o lucro que pode. Provada a existência do delito, considera-se a confissão uma prova convincente, ao mesmo tempo em que, para tornar essa prova menos suspeita se feita durante as agonias e o desespero da dor, arbitrariamente se determina que uma confissão extrajudicial tranquila, indiferente e sem os prepotentes temores de um tormentoso julgamento não baste à condenação. Excluem-se as investigações e as provas que esclarecem o fato, mas que enfraquecem as razões do fisco; não é a favor da miséria e da fraqueza que se poupam, às vezes, os tormentos aos réus, mas a favor das razões que poderia perder este ente agora imaginário e inconcebível. O juiz torna-se inimigo do réu, do homem acorrentado e dado como presa à esqualidez, aos tormentos e ao futuro mais terrível; o juiz não busca a verdade do fato, mas o delito no prisioneiro; o juiz insidia-o e, se não consegue encontrá-lo culpado, crê que perde e que prejudica aquela infalibilidade que o homem arroga-se em todas as coisas. Os indícios suficientes para a captura estão em poder do juiz; para que se prove inocente, um homem deve antes ser declarado culpado; isto se chama *processo ofensivo*, e tais são os procedimentos criminais em quase todos os lugares da iluminada Europa no século XVIII. O verdadeiro processo, o *informativo*, isto é, a busca indiferente do fato, aquilo que a razão comanda, que as leis militares adotam e que mesmo o despotismo asiático usa nos casos tranquilos e indiferentes é pouquíssimo usado nos tribunais europeus. Que complicado labirinto de estranhos absurdos, inacreditáveis, sem dúvida, para a mais feliz posteridade! Somente os filósofos lerão na natureza do homem a possível verificação de tal sistema.

18
Dos juramentos

Uma contradição entre as leis e os sentimentos naturais do homem nasce dos juramentos exigidos ao réu para que seja verídico, quando tem o maior interesse de ser falso; como se o homem pudesse jurar verdadeiramente contribuir à sua própria destruição, como se a religião não se calasse na maioria dos homens quando fala o interesse. A experiência de todos os séculos mostrou que os homens abusaram, mais do que de qualquer outra coisa, desse precioso dom do céu. E por qual motivo os celerados respeitarão a religião, se os homens estimados mais sábios amiúde a violaram? Demasiado fracos, porque demasiado remotos aos sentidos são a maioria dos motivos que a religião contrapõe ao tumulto do temor e ao amor pela vida. As questões do céu regem-se por leis muito dessemelhantes àquelas que regem as questões humanas. E por que comprometer umas com as outras? E por que colocar o homem na terrível contradição de pecar contra Deus ou de concorrer para a sua própria ruína? A lei que obriga ao juramento ordena ser mau cristão ou mártir. O juramento torna-se pouco a pouco uma simples formalidade, destruindo, dessa maneira, a força dos sentimentos de religião, único penhor da honestidade da maioria dos homens. A experiência mostrou o quanto são inúteis os juramentos, porque todos os juízes podem ser minhas testemunhas de que um juramento jamais fez um criminoso dizer a verdade; mostra-o a razão, que declara inúteis e, consequentemente, danosas todas as leis que se opõem aos naturais sentimentos do homem. Acontece a estas o que acontece às barragens diretamente opostas ao curso de um rio: são imediatamente assoladas e inundadas ou o vórtice formado por elas mesmas as corrói e as mina gradativamente.

19
Presteza da pena

Quanto mais imediata e mais próxima ao delito cometido a pena estiver, tanto mais justa e mais útil ela será. Digo mais justa porque economiza ao culpado os inúteis e ferozes tormentos da incerteza, que crescem com a força da imaginação e com o sentimento da sua própria fraqueza; mais justa porque a privação da liberdade, sendo uma pena, não pode preceder a sentença senão quando a necessidade o requer. O cárcere é, portanto, a simples custódia de um cidadão até que ele seja julgado culpado, e essa custódia, sendo essencialmente penosa, deve durar o menor tempo possível e ser a menos severa possível. O menor tempo deve ser calculado considerando a necessária duração do processo e a prioridade de quem tem o direito de ser julgado antes. A estreiteza do cárcere não pode ser senão a necessária para impedir a fuga ou a ocultação das provas do delito. O processo deve ser concluído no menor tempo possível. Há contraste mais cruel do que aquele entre a indolência de um juiz e as angústias de um réu? Entre os confortos e os prazeres de um insensível magistrado, de uma parte, e, de outra, as lágrimas e a esqualidez de um prisioneiro? Em geral, o peso da pena a um delito deve ser o maior possível para os outros e o menor possível para quem a sofre, porque não se pode chamar de legítima sociedade aquela em que não é infalível o princípio de que os homens quiseram sujeitar-se aos menores males possíveis.

Eu disse que a presteza das penas é mais útil porque, quanto menor é a duração do tempo que passa entre a pena e a infração, tanto mais forte e mais duradoura é, no ânimo humano, a associação das ideias *delito* e *pena*, de modo que, inconscientemente, o delito é considerado a causa, e a pena, o efeito necessário e inevitável. Está demonstrado que a união das ideias é o cimento que forma toda a fábrica do intelecto humano, sem o qual o prazer e a dor seriam sentimentos isolados e de nenhum efeito. Quanto mais os homens se afastam das ideias gerais e dos princípios universais, isto é, quanto mais são vulgares, tanto mais agem em resposta às mais diretas e próximas associações, pois a luz da atenção ilumina só um objeto, deixando os outros obscuros. As mais remotas e complicadas associações não servem senão aos homens fortemente apaixonados pelo objeto ao qual se dedicam e às mentes mais elevadas, que adquiriram o hábito de considerar muitos objetos de uma só vez e a facilidade de contrastar muitos sentimentos parciais uns com os outros, de modo que o resultado, que é a ação, é menos perigoso e incerto.

É, portanto, de suma importância a proximidade da pena ao delito, se se quer que, nas rústicas mentes vulgares, a ideia associada da pena imediatamente reprima a sedutora pintura de um delito vantajoso. O longo atraso não produz outro efeito além de cada vez mais separar essas duas ideias; e, embora cause impressão o castigo de um delito, o atraso da pena causa uma impressão menor de castigo do que de espetáculo, e não a causa senão depois de enfraquecido, nos ânimos dos espectadores, o horror de um delito particular que serviria para reforçar o sentimento da pena.

Outro princípio serve admiravelmente para estreitar cada vez mais a importante conexão entre a infração e a pena, isto é, que esta seja conforme, tanto quanto possível, à natureza do delito. Essa analogia facilita admiravelmente o contraste que deve haver entre o impulso ao delito e a repercussão da pena, isto é, que esta afaste e conduza o ânimo a um fim oposto àquele para o qual a sedutora ideia da infração da lei tenta encaminhá-lo.

20
Violências

Uma espécie de delitos é composta pelos atentados contra a pessoa, outra pelos atentados contra os bens. Os da primeira espécie devem infalivelmente ser punidos com penas corporais; nem o grande, nem o rico devem poder pagar com dinheiro pelos atentados contra o fraco e o pobre; de outro modo, as riquezas que, sob a tutela das leis, são o prêmio da indústria, tornam-se o alimento da tirania. Não há liberdade quando as leis permitem que, em alguns eventos, o homem cesse de ser *pessoa* e torne-se *coisa*; vereis, então, toda a indústria do poderoso dedicada a retirar da multidão das combinações civis aquelas que a lei lhe dá a seu favor. Essa descoberta é o mágico segredo que transforma cidadãos em animais de serviço e que, na mão do forte, é a corrente com a qual ele prende as ações dos incautos e dos fracos. Essa é razão pela qual, em alguns governos, que têm toda a aparência de liberdade, a tirania está escondida ou se introduz em algum canto negligenciado pelo legislador, onde insensivelmente adquire força e se engrandece. Os homens constroem, na maioria das vezes, barragens mais seguras contra a tirania aberta, mas não veem o inseto imperceptível que as corrói e abre uma passagem tanto mais segura quanto mais oculta ao rio inundante.

21
Penas dos nobres

Quais serão, portanto, as penas devidas aos delitos dos nobres, cujos privilégios formam grande parte das leis das nações? Eu não examinarei aqui se a distinção hereditária entre nobres e plebeus é útil em um governo ou necessária na monarquia; não examinarei se é verdade que tal distinção forma um poder intermediário que limita os excessos dos dois extremos ou, antes, um estrato que, escravo de si mesmo e dos outros, retém toda circulação de crédito e de esperança em um estreitíssimo círculo, semelhante àquelas fecundas e amenas ilhetas que sobressaem nos arenosos e vastos desertos da Arábia; nem examinarei se, quando for verdade que a desigualdade é inevitável ou útil nas sociedades, será verdade, outrossim, que ela deve consistir mais nos estratos do que nos indivíduos, fechar-se mais em uma parte do que circular por todo o corpo político, perpetuar-se mais do que nascer e destruir-se incessantemente. Restringir-me-ei somente às penas devidas aos nobres, asserindo que elas devem ser as mesmas para o primeiro e para o último dos cidadãos. Toda distinção, seja nas honras, seja nas riquezas, supõe, para que seja legítima, uma anterior igualdade fundada nas leis, que consideram todos os súditos igualmente dependentes de si. Deve-se supor que os homens que renunciaram ao seu natural despotismo tenham dito: *Quem for mais industrioso tenha maiores honras e a sua fama resplenda nos seus sucessores; quem for mais feliz ou mais honrado espere mais, mas não tema menos do que os outros violar aqueles pactos por meio dos quais foi elevado acima dos outros homens.* É verdade que tais decretos não surgiram em uma assembleia do gênero humano, mas eles existem nas imóveis relações das coisas; eles não destroem aquelas vantagens supostamente produzidas pela nobreza, mas impedem os seus inconvenientes; eles tornam formidáveis as leis fechando toda estrada à impunidade. A quem disser que a mesma pena dada ao nobre e ao plebeu não é realmente a mesma por causa da diversidade da educação e da infâmia que se alastra sobre uma ilustre família, responderei que a sensibilidade do criminoso não é a medida das penas, mas o dano público, tanto maior quanto mais favorecido é quem o faz; responderei que a igualdade das penas não pode ser senão extrínseca, sendo realmente diversa em cada indivíduo; responderei que a infâmia de uma família pode ser retirada pelo soberano com demonstrações públicas de benevolência a favor da inocente família do criminoso. E quem não sabe que as sensíveis formalidades ocupam o lugar da razão no povo crédulo e admirador?

22
Furtos

Os furtos não acompanhados de violência deveriam ser punidos com pena pecuniária. Quem busca enriquecer-se do alheio deveria ser empobrecido do que é seu. Mas este não é, ordinariamente, senão o delito da miséria e do desespero, o delito daquela infeliz parte dos homens à qual o direito de propriedade (terrível e talvez desnecessário direito) não deixou senão uma nua existência, e as penas pecuniárias aumentam o número de criminosos acima daquele dos delitos e tiram o pão de inocentes para tirar de celerados; assim, a pena mais oportuna será aquela única espécie de escravidão que pode ser chamada de justa, isto é, a escravidão que, por um tempo, faz a sociedade comum senhora dos trabalhos e da pessoa do criminoso, para que ele a ressarça, com a sua própria e perfeita dependência, do injusto despotismo usurpado ao pacto social. Mas quando o furto é misturado com violência, a pena deve ser igualmente um misto de corporal e de servil. Outros escritores antes de mim demonstraram a evidente desordem que nasce da indistinção entre as penas aos furtos violentos e as penas aos furtos dolosos, indistinção que há quando se faz a absurda equivalência entre uma grande soma de dinheiro e a vida de um homem; mas nunca é supérfluo repetir o que quase nunca é realizado. As máquinas políticas conservam, mais do que qualquer outra, o seu movimento inicial e são as mais lentas para adquirir um novo. Esses delitos são de diferente natureza, e é certíssimo também em política aquele axioma da matemática de que entre as quantidades heterogêneas é infinito o que as separa.

23
Infâmia

As injúrias pessoais e contrárias à honra, isto é, àquela justa porção de sufrágios que um cidadão tem o direito de exigir dos outros, devem ser punidas com a infâmia. Esta é um sinal da desaprovação pública, que priva o criminoso dos votos públicos, da confiança da pátria e daquela espécie de fraternidade que a sociedade inspira. A infâmia não está sob o domínio da lei. É preciso, portanto, que a infâmia prescrita pela lei seja idêntica àquela que nasce das relações das coisas e àquela que resulta da moral universal ou da particular, que depende dos sistemas particulares, pois essas infâmias são legisladoras das vulgares opiniões e da nação que inspiram. Se uma infâmia for diferente da outra, a lei perderá a veneração pública ou as ideias de moral e de probidade desvanecerão, a despeito das declamações que nunca resistem aos exemplos. Quem declara infames ações em si mesmas indiferentes diminui a infâmia das ações que são verdadeiramente tais. As penas de infâmia não devem ser nem demasiado frequentes, porque os efeitos reais e demasiado frequentes das coisas de opinião enfraquecem a força da própria opinião, nem recair sobre um grande número de pessoas de uma só vez, porque a infâmia de muitos se resolve na infâmia de nenhum.

As penas corporais e dolorosas não devem ser dadas àqueles delitos que, fundados no orgulho, retiram da própria dor glória e alimento; a tais delitos convêm o ridículo e a infâmia, penas que freiam o orgulho dos fanáticos com o orgulho dos espectadores e cuja tenacidade, com lentos e obstinados esforços, aos poucos libera a verdade. Assim o sábio legislador, opondo forças a forças e opiniões a opiniões, rompe a admiração e a surpresa do povo causadas por um falso princípio, cujas bem deduzidas consequências costumam esconder do vulgo a sua originária absurdidade.

Eis a maneira de não confundir as relações e a natureza invariável das coisas, que, não sendo limitada pelo tempo e operando incessantemente, confunde e deforma todos os limitados regulamentos que dela se destacam. Não são só as artes do gosto e do prazer que têm por princípio universal a imitação fiel da natureza, mas a própria política, ao menos a verdadeira e durável, está sujeita a essa máxima geral, pois ela não é outra coisa além da arte de melhor dirigir e de tornar concordantes os sentimentos imutáveis dos homens.

24
Ociosos

Quem perturba a tranquilidade pública e não obedece às leis, isto é, às condições com as quais os homens mutuamente se suportam e se defendem, deve ser excluído da sociedade, isto é, deve ser banido. Essa é a razão pela qual os sábios governos não padecem, no seio do trabalho e da indústria, daquele gênero de ócio político que é confundido pelos austeros declamadores com o ócio das riquezas acumuladas pela indústria, necessário e útil à medida que a sociedade se dilata e a administração se restringe. Eu chamo de ócio político aquele que não contribui à sociedade nem com o trabalho, nem com a riqueza; aquele que adquire sem jamais perder; aquele que, sendo venerado pelo vulgo com estúpida admiração, sendo considerado pelo sábio com desdenhosa compaixão pelos seres que desse ócio são vítimas e estando privado daquele estímulo da vida ativa, que é a necessidade de custodiar ou de aumentar os confortos da vida, dedica às paixões da opinião, que são as mais fortes, toda a sua energia. Não é ocioso politicamente quem goza os frutos dos vícios ou das virtudes dos seus antepassados e vende, pelo preço de momentâneos prazeres, o pão e a existência à industriosa pobreza; quem exercita em paz a tácita guerra da indústria munido da opulência, ao invés de uma incerta e sanguinosa guerra munido da força. Assim, não é a austera e limitada virtude de alguns censores, mas são as leis que devem definir qual é o ócio que deve ser punido.

Parece que o banimento deveria ser dado àqueles que, acusados de um atroz delito, são, com grande probabilidade, mas não com certeza, culpados; para tanto, seria necessário um estatuto o menos arbitrário e o mais preciso possível, que condenasse ao banimento quem deixa a nação na fatal alternativa de temê-lo ou de ofendê-lo, deixando-lhe, porém, o sacro direito de provar a sua inocência. Maiores devem ser os motivos contra um nacional do que contra um estrangeiro, contra um inculpado pela primeira vez do que contra quem o foi várias vezes.

25
Banimento e confiscos

Mas quem é banido e excluído para sempre da sociedade da qual era membro deve ser privado dos seus bens? Tal questão pode ser considerada sob diferentes aspectos. Perder os bens é uma pena maior do que o banimento; devem, portanto, haver casos em que se tenha, proporcionalmente aos delitos, a perda de tudo ou de uma parte dos bens, e casos em que não se a tenha. A perda de tudo ocorrerá quando o banimento intimado pela lei for tal que aniquile todas as relações entre a sociedade e o cidadão delinquente; então, morre o cidadão e resta o homem, e, a respeito do corpo político, a pena deve produzir o mesmo efeito que a morte natural. Parece, portanto, que os bens retirados do criminoso devem tocar mais aos legítimos sucessores do que ao príncipe, pois a morte e tal banimento são a mesma coisa em relação ao corpo político. Mas não é por causa dessa sutileza que ouso desaprovar os confiscos dos bens. Se alguns sustentaram que os confiscos são um freio às vinganças e às prepotências privadas, eles não consideraram que as penas, mesmo quando produzem um bem, não são sempre justas, porque, para serem tais, devem ser necessárias, e uma útil injustiça não pode ser tolerada por aquele legislador que quer fechar todas as portas à vigilante tirania, que adula com o bem momentâneo e com a felicidade de alguns ilustres e despreza o extermínio futuro e as lágrimas de infinitos obscuros. Os confiscos põem um preço pela cabeça dos fracos, fazem o inocente sofrer a pena do criminoso e põem o inocente na desesperada necessidade de cometer delitos. Que espetáculo mais triste o de uma família dilacerada pela infâmia e pela miséria por causa dos delitos do seu chefe, delitos que a família, por causa da submissão, ordenada pelas leis, ao chefe, estaria impedida de prevenir, mesmo que tivesse os meios de o fazer!

26
Do espírito de família

Essas funestas e autorizadas injustiças foram aprovadas mesmo pelos homens mais iluminados e exercitadas mesmo pelas repúblicas mais livres, por ter-se considerado a sociedade mais uma união de famílias do que uma união de homens. Suponhamos que hajam cem mil homens, ou seja, vinte mil famílias, cada uma composta por cinco pessoas, incluindo o chefe que a representa: se a associação é de famílias, haverá vinte mil homens e oitenta mil escravos; se a associação é de homens, haverá cem mil cidadãos e nenhum escravo. No primeiro caso, haverá uma república e vinte mil pequenas monarquias que a compõem; no segundo, o espírito republicano será exalado não só nas praças e nas adunações da nação, mas também dentro das paredes domésticas, onde está grande parte da felicidade ou da miséria dos homens. No primeiro caso, como as leis e os costumes são o efeito dos sentimentos habituais dos membros da república, ou seja, dos chefes de família, o espírito monárquico introduzir-se-á pouco a pouco na própria república e seus efeitos serão freados somente pelos interesses opostos de cada um, não por um sentimento que exala liberdade e igualdade.

O espírito de família é o do detalhe e limitado aos pequenos fatos. O espírito regulador das repúblicas, patrão dos princípios gerais, vê os fatos e condensa-os nas classes principais e importantes para o bem da maioria. Na república de famílias, os filhos permanecem sob o poder do chefe enquanto ele viver e são constrangidos a esperar, até a sua morte, uma existência dependente somente das leis. Acostumados a curvar-se e a temer na idade mais tenra e vigorosa, quando os sentimentos são menos modificados por aquele temor da experiência, que se chama moderação, como resistirão aos obstáculos que o vício sempre opõe à virtude na lânguida e cadente idade, em que mesmo o desespero de ver os frutos se opõe às vigorosas alterações?

Quando a república é de homens, a família não está subordinada ao comando do chefe, mas a um contrato, e os filhos, quando a idade os retira da dependência de natureza, que é aquela da fraqueza e da necessidade de educação e de defesa, tornam-se livres membros da cidade e sujeitam-se ao chefe para participar das vantagens da família, como fazem os homens livres na grande sociedade. Na associação de famílias, os filhos, isto é, a parte maior e mais útil da nação, estão à discrição do pai; na associação de homens, não subsistem outros vínculos prescritos além daquele sacro e inviolável de subministração recíproca dos necessários socorros e daquele de gratidão pelos benefícios recebidos, vínculos destruídos não tanto pela malícia do coração humano quanto por uma mal entendida sujeição prescrita pelas leis.

Tais contradições entre as leis de família e as leis fundamentais da república são uma fonte fecunda de outras contradições entre a moral doméstica e a moral pública e, assim, fazem nascer um perpétuo conflito no ânimo de cada homem. A moral doméstica inspira sujeição e temor e, a moral pública, coragem e liberdade; a moral doméstica ensina a restringir a beneficência a um pequeno número de pessoas que não são escolhidas espontaneamente e, a moral pública, a estender a beneficência a todas as classes de homens; a moral doméstica ordena um contínuo sacrifício de si mesmo a um ídolo vão, chamado *bem de família*, que, muitas vezes, não é o bem de ninguém que a compõe, e a moral pública ensina a buscar as próprias vantagens sem ofender as leis ou incita a imolar-se à pátria depois de conceder o prêmio do fanatismo. Tais contrastes fazem que os homens desdenhem seguir a virtude que encontram encoberta, confusa, e àquela distância que nasce da obscuridade dos objetos tanto físicos quanto morais. Quantas vezes um homem, recordando-se de suas ações passadas, fica atônito ao se reconhecer desonesto? À medida que a sociedade se multiplica, cada membro torna-se uma parte menor do todo, e o sentimento republicano diminui proporcionalmente, se as leis não cuidam de o reforçar. As sociedades têm, como os corpos humanos, limites circunscritos, e, quando elas crescem além desses limites, a sua economia é necessariamente disturbada. Parece que a massa de um Estado deve estar na proporção inversa da sensibilidade de quem o compõe; de outro modo, crescendo uma e outra, as boas leis encontrarão um obstáculo para prevenir os delitos no próprio bem que elas produzem. Uma república demasiado vasta não se salva do despotismo senão subdividindo-se e reunindo-se em repúblicas federativas. Mas como obter isto? Com um ditador despótico que tenha a coragem de Sila e tanto gênio para edificar quanto este teve para destruir. Tal homem, se for ambicioso, receberá a glória de todos os séculos e, se for filósofo, será consolado pelas bendições dos cidadãos pela perda de autoridade, caso não se torne indiferente à sua ingratidão. À medida que os sentimentos que nos unem à nação se enfraquecem, reforçam-se os sentimentos pelos objetos que nos circundam; assim, sob o despotismo mais forte, as amizades são mais duráveis e as virtudes sempre medíocres de família são as mais comuns ou, antes, as únicas. Disto pode cada um ver quão limitada era a visão da maioria dos legisladores.

27
Suavidade das penas

Mas o curso das minhas ideias transportou-me para longe do meu assunto, ao esclarecimento do qual devo apressar-me. Um dos maiores freios aos delitos não é a crueldade das penas, mas a sua infalibilidade e, consequentemente, a vigilância dos magistrados e aquela severidade de um juiz inexorável, a qual, para ser uma útil virtude, deve estar acompanhada de uma suave legislação. A certeza de um castigo, ainda que moderado, fará sempre maior impressão do que o temor de um castigo mais terrível unido à esperança da impunidade; porque os males, mesmo que mínimos, quando são inevitáveis, assustam sempre os ânimos humanos, e a esperança, dom celeste, que amiúde nos domina, afasta sempre a ideia dos castigos maiores, principalmente quando a impunidade, frequentemente concorde com a avareza e a fraqueza, aumenta a força da esperança. A atrocidade da pena faz que os homens tanto mais ousem esquivá-la quanto maior é o mal em prospecto e que eles cometam mais delitos para fugir da pena de um só. Os países e os tempos dos mais atrozes suplícios foram sempre aqueles das mais sanguinosas e inumanas ações, pois o mesmo espírito de ferocidade que guiava a mão do legislador regia a do parricida e a do sicário. No trono, o legislador ditava leis de ferro a almas atrozes de escravos, que obedeciam. Na privada escuridão, ele estimulava a imolar os tiranos para criar novos.

À medida que os suplícios se tornam mais cruéis, os ânimos humanos calejam-se, assim como os fluidos põem-se sempre na forma dos objetos que os contêm, e a força sempre viva das paixões faz que, depois de cem anos de cruéis suplícios, a roda assuste tanto quanto antes assustava a prisão. Para que uma pena obtenha o seu efeito, basta que o seu mal exceda ao bem que nasce do delito, e nesse excesso de mal deve ser contabilizada a infalibilidade da pena e a perda do bem que o delito produziria. Todo o restante é supérfluo e, por isso, tirânico. Os homens regulam-se pela repetida ação dos males que conhecem, e não daqueles que ignoram. Suponhamos duas nações e que, em uma, na escala das penas proporcionada com a escala dos delitos, a pena maior é a escravidão perpétua e, na outra, a roda. Eu digo que a primeira nação terá tanto temor da sua maior pena quanto a segunda; e se houvesse uma razão para transferir à primeira as maiores penas da segunda, a mesma razão serviria para aumentar as penas da segunda, passando insensivelmente da roda aos tormentos mais lentos e mais estudados até os últimos refinamentos da ciência demasiado conhecida dos tiranos.

Duas outras funestas consequências, contrárias ao fim de prevenir os delitos, derivam da crueldade das penas. A primeira é que não é muito fácil conservar a proporção essencial entre o delito e a pena, porque, por mais que uma industriosa crueldade tenha muitíssimo variado as espécies das penas, estas não podem ultrapassar aquela última força à qual está limitada a organização e a sensibilidade humana. Alcançado esse extremo, não se encontrariam, aos delitos mais danosos e atrozes, pena maior correspondente, como seria necessário encontrar para preveni-los. A outra consequência é que a impunidade nasce da atrocidade dos suplícios. Os homens estão circunscritos a certos limites, tanto no bem quanto no mal, e um espetáculo demasiado atroz para a humanidade não pode ser senão um passageiro furor, nunca um sistema constante tal como devem ser as leis; se verdadeiramente são cruéis, estas se alteram ou dão origem à impunidade fatal.

Quem, ao ler os livros de história, não se estremece de horror pelos bárbaros e inúteis tormentos que, com ânimo frio, foram inventados e executados por homens chamados de sábios? Quem pode não fremir ao ver os milhares de infelizes que a miséria, desejada ou tolerada pelas leis, as quais sempre favoreceram poucos e ultrajaram muitos, conduziu a um desesperado retorno ao primeiro estado de natureza, os milhares de infelizes que foram acusados de delitos impossíveis e forjados pela tímida ignorância, os milhares de infelizes que não foram culpados de outra coisa além de serem fiéis aos seus princípios e que foram lacerados com meditadas formalidades e com lentas torturas por homens dotados dos mesmos sentidos e, consequentemente, das mesmas paixões, alegre espetáculo para uma fanática multidão?

28
Da pena de morte

Essa inútil prodigalidade dos suplícios, que nunca tornou melhores os homens, leva-me a examinar se a pena de morte é verdadeiramente útil e justa em um governo bem organizado. Qual é o direito que se atribuem os homens de trucidar os seus semelhantes? Certamente, não é aquele do qual resultam a soberania e as leis. Estas não são senão a soma das mínimas porções da privada liberdade de cada um e representam a vontade geral, que é o agregado das vontades particulares. Quem é que quis deixar a outros homens o poder de o matar? Como é que, no mínimo sacrifício da liberdade de cada um, pode estar o sacrifício do maior entre todos os bens, a vida? E, se assim fosse, como se conciliaria tal princípio com aquele outro de que o homem não pode se matar, mas deveria poder, se tivesse dado a outrem ou à sociedade inteira esse direito?

Não é, portanto, a pena de morte um *direito*, pois demonstrei que ela não pode ser tal, mas uma guerra da nação contra um cidadão, porque aquela julga necessária ou útil a destruição deste. Mas se eu demonstrar que a pena de morte não é nem útil, nem necessária, terei vencido a causa da humanidade.

A morte de um cidadão não pode ser considerada necessária senão por dois motivos. O primeiro é quando ele, mesmo privado da liberdade, continua a ter tais relações e tal potência que comprometem a segurança da nação ou quando a sua existência pode produzir uma revolução perigosa na forma de governo estabelecida. A morte de um cidadão torna-se, portanto, necessária quando a nação recupera ou perde a sua liberdade ou, no tempo de anarquia, quando as desordens ocupam o lugar das leis. Mas durante o tranquilo reino das leis, em uma forma de governo que reúne os votos da nação e que está bem defendida fora e dentro pela força e pela opinião, talvez mais eficaz do que a própria força, em uma forma de governo em que o comando não reside senão no verdadeiro soberano e em que as riquezas compram prazeres, e não autoridade, eu não vejo necessidade alguma de destruir um cidadão, senão quando a sua morte for o verdadeiro e único freio para demover os outros de cometer delitos; esse é o segundo motivo pelo qual pode ser considerada justa e necessária a pena de morte.

Se a experiência de todos os séculos, segundo a qual o último suplício nunca demoveu de ofender a sociedade os homens determinados a tanto, se o exemplo dos cidadãos romanos e se vinte anos de reinado da Imperatriz Isabel da Rússia, nos quais ela deu aos pais dos povos esse ilustre exemplo, que equivale ao menos a muitas conquistas compradas com o sangue dos filhos da pátria, não persuadirem os homens, para quem a linguagem da razão é sempre suspeita e, a da autoridade, sempre eficaz, bastará consultar a natureza do homem para conhecer-se a verdade da minha asserção.

Não é a intensão da pena que produz o maior efeito no ânimo humano, mas a sua extensão; porque a nossa sensibilidade é mais fácil e estavelmente movimentada por mínimas, mas replicadas impressões do que por um forte, mas passageiro, movimento. O império do hábito é universal em todo ser que sente, e assim como o homem fala, caminha e provém às suas necessidades com a ajuda do hábito, as ideias morais não se imprimem na mente senão com duradouras e reiteradas percussões. O freio mais forte contra os delitos não é o terrível, mas passageiro espetáculo da morte de um celerado, mas o longo e extenuante exemplo de um homem privado da liberdade que, feito besta de serviço, recompensa com as suas fadigas a sociedade que ofendeu. A eficaz, porque frequentíssima, repetição daquela ideia em nós mesmos, *eu também serei reduzido a tão longa e miserável condição se cometer semelhantes infrações*, é muito mais potente do que a ideia da morte, que os homens veem sempre de uma obscura distância.

A pena de morte causa uma impressão que, com a sua força, não supre o pronto esquecimento, natural ao homem mesmo nas coisas mais essenciais e acelerado pelas paixões. Regra geral: as paixões violentas surpreendem os homens, mas não por muito tempo, e, assim, são aptas a fazer aquelas revoluções que transformam homens comuns em persas ou lacedemônios; mas em um livre e tranquilo governo, as impressões devem ser mais frequentes do que fortes.

A pena de morte torna-se um espetáculo para a maioria e um objeto misto de compaixão e desdenho para alguns; ambos os sentimentos ocupam mais o ânimo dos espectadores do que o salutar terror que a lei pretende inspirar. Mas quando as penas são moderadas e contínuas, o sentimento dominante é o terror, porque é o único. O limite que o legislador deveria fixar ao rigor das penas parece consistir no sentimento de compaixão, quando este começa a prevalecer sobre todos os outros no ânimo dos espectadores de um suplício que é feito mais para eles do que para o criminoso.

Para que seja justa, uma pena não deve ter senão aqueles únicos graus de intensão que bastam para remover os homens dos delitos; não há ninguém que, refletindo, prefeririria a total e perpétua perda da sua liberdade aos frutos de um delito, por mais vantajoso que ele possa ser; portanto, a intensão da pena de escravidão perpétua, substituída à pena de morte, tem o que basta para remover qualquer ânimo determinado; tenho ainda mais a acrescentar: muitíssimos consideram a morte com a face tranquila e imóvel, sendo alguns por fanatismo, alguns por vaidade, que quase sempre acompanha o homem além da tumba, e alguns por uma última e desesperada tentativa de morrer ou de sair da miséria; mas nem o fanatismo, nem a vaidade estão entre os grilhões ou as correntes, sob o bastão, sob o jugo ou em uma gaiola de ferro, e os males do desesperado não terminam, mas começam. O nosso ânimo resiste mais à violência e às extremas, mas passageiras dores, do que ao tempo e ao incessante incômodo; porque o ânimo pode, por assim dizer, condensar-se todo por um momento para afastar a violência e as extremas dores, mas a sua vigorosa elasticidade não basta para resistir à longa e repetida ação do tempo e do incessante incômodo. Quando há a pena de morte, todo exemplo que se dá à nação supõe um novo delito; quando há a pena de escravidão perpétua, um só delito dá muitíssimos e duráveis exemplos; se é importante que os homens vejam frequentemente o poder das leis, as penas de morte não devem ser muito distantes entre si; portanto, elas supõem a frequência dos delitos; portanto, para que seja útil, esse suplício não pode causar nos homens toda a impressão que deveria, isto é, ele deve ser útil e inútil ao mesmo tempo. A quem disser que a pena de escravidão perpétua é tão dolorosa quanto a pena de morte e, por isso, igualmente cruel, eu responderei que a primeira, somando-se todos os seus momentos infelizes, é-lo talvez ainda mais, mas esses momentos são estendidos por toda a vida do criminoso, enquanto a segunda exercita toda a sua força em um único momento; e a vantagem da pena de escravidão é que ela assusta mais quem a vê do que quem a sofre, porque o primeiro considera a soma de todos os momentos infelizes e o segundo é distraído da infelicidade futura pela do momento presente. Todos os males aumentam na imaginação e quem sofre encontra recursos e consolos não conhecidos e não considerados pelos espectadores, que substituem a sua sensibilidade ao ânimo calejado do infeliz.

Eis, *grosso modo*, o raciocínio que faz um ladrão ou um assassino que não tem outro contrapeso para não violar as leis além da forca ou da roda (sei que desenvolver os sentimentos do próprio ânimo é uma arte que se aprende com a educação; mas os princípios de um ladrão não operam menos porque ele não os explica bem): *Quais são essas leis que eu devo respeitar, que deixam tão grande intervalo entre mim e o rico? Ele nega-me a paga que lhe peço e desculpa-se por dar-me um trabalho que não conhece. Quem fez essas leis? Homens ricos e potentes, que nunca se dignaram a visitar as esquálidas cabanas dos pobres, que nunca dividiram um pão mofado entre os inocentes gritos dos filhos esfomeados e as lágrimas da esposa. Rompamos esses vínculos, fatais à maioria e úteis a alguns poucos e indolentes tiranos; ataquemos a injustiça na sua fonte. Retornarei ao meu estado de independência natural; viverei livre e feliz por algum tempo dos frutos da minha coragem e da minha indústria; virá talvez o dia da dor e do arrependimento, mas será breve esse tempo, e terei um dia de adversidade por muitos anos de liberdade e de prazeres. Rei de um pequeno número, corrigirei os erros da fortuna e verei esses tiranos empalidecerem e palpitarem à presença daquele que eles, com um insultante fasto, pospunham aos seus cavalos e aos seus cães.* Então a religião apresenta-se à mente do celerado, que abusa de tudo, e, apresentando-lhe um fácil arrependimento e uma quase certeza de eterna felicidade, muito diminui o horror da sua tragédia.

Mas aquele que considera o grande número de anos ou mesmo todo o curso da sua vida em que passaria na escravidão e na dor perante os seus concidadãos, com os quais vive livre e sociável, escravo daquelas leis pelas quais é protegido, faz uma útil comparação de tudo isto com a incerteza do resultado dos seus delitos ou com o breve tempo em que gozaria os frutos destes. O exemplo contínuo daqueles que atualmente veem vítimas da sua própria imprudência causa-lhe uma impressão muito mais forte do que o espetáculo de um suplício, que mais o endurece do que o corrige.

Não é útil a pena de morte pelo exemplo de atrocidade que dá aos homens. Se as paixões ou a necessidade da guerra ensinaram a derramar o sangue humano, as leis, moderadoras da conduta dos homens, não deveriam aumentar o feroz exemplo, tanto mais funesto quanto mais a morte legal é dada com esmero e com formalidade. Parece-me um absurdo que as leis, que são a expressão da vontade pública e que detestam e punem o homicídio, cometam-no elas mesmas e, para afastar os cidadãos do assassinato, ordenem um público assassinato. Quais são as verdadeiras e mais úteis leis? Aqueles pactos e aquelas condições que todos desejariam observar e propor enquanto a voz sempre escutada do interesse privado se cala ou se combina com a do interesse público. Quais são os sentimentos de cada um sobre a pena de morte? Leiamo-los nos atos de indignação e de desprezo com os quais cada um olha o carnífice, que talvez seja um inocente executor da vontade pública, um bom cidadão, que contribui ao bem público, ou o instrumento necessário à segurança pública interna, como são os valorosos soldados à segurança pública externa. Qual é, portanto, a origem dessa contradição? E por que é indelével nos homens esse sentimento, a despeito da razão? Porque os homens, na parte mais secreta do seu ânimo, parte que, mais do que qualquer outra, conserva ainda a forma original da velha natureza, sempre acreditaram que a sua vida não está em poder de ninguém senão da necessidade, que, com o seu cetro de ferro, rege o universo.

O que devem pensar os homens ao verem os sábios magistrados e os graves sacerdotes da justiça, que, com indiferente tranquilidade, ordenam que se arraste, com lento aparato, um criminoso à morte? O que devem pensar os homens ao verem um miserável agonizar nas últimas angústias, esperando o golpe fatal, enquanto passa o juiz, com insensível frieza e talvez também com secreta satisfação pela sua própria autoridade, apreciando os confortos e os prazeres da vida? *Ah!* – dirão eles – *Essas leis não são senão o pretexto da força e as meditadas e cruéis formalidades da justiça; elas não são senão uma linguagem de convenção para nos imolar com mais segurança, como vítimas destinadas ao sacrifício, ao ídolo insaciável do despotismo.*

O assassinato, que nos é predicado como uma terrível infração, vemo-lo adotado sem repugnância e sem furor. Valhamo-nos do exemplo. A morte violenta parecia-nos uma cena terrível nas descrições que nos eram feitas, mas vemo-la como uma questão de momento. Ela será muito menos terrível para aquele que, não a esperando, será poupado de quase tudo o que ela tem de doloroso! Tais são os funestos paralogismos que, se não com clareza, ao menos confusamente, os homens dispostos aos delitos fazem, em quem, como vimos, o abuso da religião tem mais poder do que a própria religião.

Se me fosse oposto o exemplo de quase todos os séculos e de quase todas as nações, que deram a pena de morte a alguns delitos, eu responderia que esse exemplo é aniquilado perante a verdade, contra a qual não há prescrição, e que a história dos homens dá-nos a ideia de um imenso pélago de erros, entre os quais poucas e confusas verdades sobrenadam, separadas umas das outras por grandes intervalos. Os sacrifícios humanos foram comuns a quase todas as nações, e quem ousará os desculpar? O fato de que algumas poucas sociedades, e por pouco tempo somente, abstiveram-se de dar a pena de morte é-me mais favorável do que contrário, porque está conforme à fortuna das grandes verdades, cuja duração não é senão um lampo em comparação com a longa e tenebrosa noite que envolve os homens. Ainda não chegou a época fortunada em que a verdade, como até agora o erro, pertencerá à maioria, e dessa lei universal não estão isentas até agora senão as únicas verdades que a Sabedoria infinita quis, revelando-as, dividir das outras.

A voz de um filósofo é demasiado baixa contra os tumultos e os gritos de tantos que são guiados pelo cego costume, mas os poucos sábios que estão distribuídos sobre a face da Terra far-me-ão eco no íntimo do seu coração; e se a verdade que apresento puder chegar, entre os infinitos obstáculos que a afastam de um monarca, ao seu trono, saiba ele que essa verdade chegará com os votos secretos de todos os homens e silenciará perante ele a sanguinosa fama dos conquistadores; e a justa posteridade atribuirá ao monarca o primeiro lugar entre os pacíficos troféus dos Titos, dos Antoninos e dos Trajanos.

Feliz a humanidade, se, pela primeira vez, fossem-lhe ditadas leis, agora que vemos elevados aos tronos da Europa monarcas benéficos, animadores das pacíficas virtudes, das ciências e das artes, pais dos seus povos, cidadãos coroados; o aumento da sua autoridade forma a felicidade dos súditos, porque elimina aquele despotismo intermediário, mais cruel porque menos seguro, que sufoca os votos sempre sinceros do povo e sempre faustos quando podem alcançar o trono! Se esses monarcas, digo, deixam subsistir as antigas leis, é porque enfrentam a dificuldade infinita de eliminar dos erros a venerada ferrugem de muitos séculos; esse é um motivo para os cidadãos iluminados desejarem com mais ardor o contínuo crescimento da sua autoridade.

29
Da captura

Um erro tão comum quanto contrário ao fim social, que é a opinião da própria segurança, é deixar ao magistrado, executor das leis, o arbítrio de aprisionar um cidadão, de tirar a liberdade de um inimigo por frívolos pretextos e de deixar impune um amigo a despeito dos indícios mais fortes de culpabilidade. A prisão é uma pena que, à diferença de todas as outras, deve necessariamente preceder a declaração do delito, mas esse seu caráter distintivo não anula outro essencial, isto é, que só a lei deve determinar os casos nos quais um homem é digno de receber tal pena. A lei, portanto, acenará os indícios de um delito que dão mérito à custódia do réu e que o sujeitam a um interrogatório e a uma pena. A fama pública, a fuga, a confissão extrajudicial, a confissão de um companheiro do delito, as ameaças e as constantes inimizades com o ofendido, o corpo do delito e semelhantes indícios são provas suficientes para capturar um cidadão; mas essas provas devem ser estabelecidas pela lei, e não pelos juízes, cujos decretos são sempre opostos à liberdade política, quando não são proposições particulares de uma máxima geral existente no código público. À medida que as penas forem moderadas, que a esqualidez e a fome dos cárceres forem eliminadas, que a compaixão e a humanidade penetrarem as portas férreas e comandarem os inexoráveis e endurecidos ministros da justiça, as leis poderão contentar-se com indícios cada vez menores para a captura. Um homem acusado de um delito, encarcerado e absolvido não deveria carregar consigo nenhuma nota de infâmia. Quantos romanos, acusados de gravíssimos delitos e depois reconhecidos inocentes, foram reverenciados pelo povo e honrados com magistraturas! Mas por qual razão é tão diversa, nos nossos tempos, a fortuna de um inocente? Porque parece que, no presente sistema criminal, segundo a opinião dos homens, prevalece a ideia da força e da prepotência sobre aquela da justiça; porque se confundem na mesma cela os acusados e os convictos; porque a prisão é mais um suplício do que uma custódia do réu; e porque a força interna, tutora das leis, está separada da externa, defensora do trono e da nação, quando deveriam estar unidas. Assim a prisão seria, por meio do comum apoio das leis, combinada com a faculdade judicativa, mas independente dos magistrados, e a glória, que acompanha a pompa, e o fasto de um corpo militar eliminariam a infâmia, que é mais associada ao modo do que à coisa, como todos os sentimentos populares; está provado que as prisões militares, na comum opinião, não são tão infamantes quanto as forenses. As bárbaras impressões e as ferozes ideias dos caçadores setentrionais, nossos ancestrais, ainda permanecem no povo, nos costumes e nas leis, sempre mais de um século atrasadas em bondade em relação aos lumes atuais de uma nação.

Alguns sustentaram que um delito, isto é, uma ação contrária às leis, pode ser punido independentemente do lugar onde foi cometido;

como se o caráter de súdito fosse indelével, isto é, sinônimo ou mesmo pior do que o de escravo; como se alguém pudesse ser súdito de um domínio e habitar outro; como se as suas ações pudessem, sem contradição, estar subordinadas a dois soberanos e a dois códigos amiúde contraditórios. Alguns creem igualmente que uma ação cruel feita, por exemplo, em Constantinopla, possa ser punida em Paris, por causa da abstrata razão que quem ofende a humanidade merece ter toda a humanidade como inimiga e a execração universal; como se os juízes fossem vingadores da sensibilidade dos homens, e não, antes, dos pactos que vinculam os homens entre si. O lugar da pena é o lugar do delito, porque somente ali, e não em outro lugar, os homens são forçados a ofender um privado para prevenir a ofensa pública. Um celerado, mas que não rompeu os pactos de uma sociedade da qual não é membro, pode ser temido e, assim, exilado e excluído pela força superior daquela sociedade, mas não punido, nem mesmo da malícia intrínseca às suas ações, com as formalidades das leis vingadoras daqueles pactos.

Costumam os culpados dos delitos mais leves ser punidos na obscuridade de uma prisão ou com uma longínqua e, assim, quase inútil escravidão, banidos a nações que eles não ofenderam para que sirvam de exemplo. Se os homens não se induzem repentinamente a cometer os mais graves delitos, a pública pena a uma grande infração será considerada, pela maioria, estranha e impossível de acontecer-lhe; mas a pública pena aos delitos mais leves, aos quais o ânimo é mais próximo, causará uma impressão que, demovendo-o dos mais leves, afastá-lo-á ainda mais dos mais graves. As penas devem ser proporcionais aos delitos não só na força, mas também no modo de serem infligidas. Alguns liberam um homem da pena de um pequeno delito quando a parte ofendida o perdoa, ato conforme à beneficência e à humanidade, mas contrário ao bem público, como se um cidadão privado pudesse igualmente eliminar, com a sua remissão, a necessidade do exemplo e perdoar o ressarcimento da ofensa. O direito de punir não é de um só, mas de todos os cidadãos ou do soberano. O ofendido pode renunciar à sua porção de direito, mas não anular aquela dos outros.

30
Processos e prescrições

Conhecidas as provas e calculada a certeza do delito, é necessário conceder ao réu o tempo e os meios oportunos para justificar-se, mas um tempo tão breve que não prejudique a presteza da pena, que, como vimos, é um dos principais freios aos delitos. Um mal-entendido amor pela humanidade parece contrário a essa brevidade de tempo, mas desaparecerá toda dúvida se se considerar que os perigos que corre o inocente crescem com os defeitos da legislação.

Mas as leis devem fixar certo intervalo de tempo tanto para a defesa do réu quanto para a apresentação das provas dos delitos; o juiz tornar-se-ia legislador se tivesse que decidir o tempo necessário para se provar um delito. Igualmente, aqueles delitos atrozes, cuja memória mantém-se longamente nos homens, quando forem provados, não merecerão nenhuma prescrição em favor do réu que se subtraiu com a fuga; mas os delitos menores e obscuros devem eliminar, com a prescrição, a incerteza da sorte de um cidadão, porque a obscuridade em que esses delitos estiveram por muito tempo envoltos elimina o exemplo da impunidade, enquanto concede ao réu o poder de se tornar melhor. Basta-me acenar esses princípios, porque um limite preciso não pode ser fixado senão por uma dada legislação e nas dadas circunstâncias de uma sociedade; acrescentarei somente que, provada a utilidade das penas moderadas em uma nação, as leis que, na proporção dos delitos, diminuírem ou aumentarem o tempo da prescrição ou o tempo da apresentação das provas, considerando o cárcere ou o voluntário exílio uma parte da pena, subministrarão uma fácil divisão de poucas penas suaves para um grande número de delitos.

Mas esses tempos não serão aumentados na exata proporção direta da atrocidade dos delitos, pois a probabilidade dos delitos está na proporção inversa da sua atrocidade. Dever-se-á, portanto, diminuir o tempo do interrogatório e aumentar o da prescrição, o que parece uma contradição àquilo que eu disse, isto é, que podem ser dadas penas iguais a delitos desiguais, avaliando-se o tempo do cárcere ou da prescrição precedente à sentença como uma pena. Para explicar ao leitor a minha ideia, distingo duas classes de delitos: a primeira é a dos delitos atrozes, a qual começa com o homicídio e compreende todas as ulteriores maldades, e a segunda é a dos delitos menores. Essa distinção tem o seu fundamento na natureza humana. A segurança da própria vida é um direito de natureza, a segurança dos bens é um direito de sociedade. O número dos motivos que impelem os homens além do natural sentimento de piedade é muitíssimo menor do que o número dos motivos que, pela natural avidez de serem felizes, impelem-nos a violar um direito que não encontram nos seus corações, mas nas convenções da sociedade. A maior diferença de probabilidade dessas duas classes exige que elas sejam reguladas por princípios diversos: nos delitos mais atrozes, porque mais raros, deve-se diminuir o tempo do interrogatório para aumentar o da probabilidade da inocência do réu, e deve-se aumentar o tempo da prescrição, porque da definitiva sentença de inocência ou culpabilidade de um homem depende a eliminação da adulação da impunidade, cujo dano cresce com a atrocidade do delito. Mas nos delitos menores, diminuindo a probabilidade da inocência do réu, deve-se aumentar o tempo do interrogatório e, diminuindo o dano da impunidade, deve-se diminuir o tempo da prescrição. Tal distinção dos delitos em duas classes não deveria ser admitida, se o dano da impunidade diminuísse tanto quanto cresce a probabilidade do delito. Considere-se que um acusado, do qual não conste nem a inocência, nem a culpabilidade, ainda que liberado por falta de provas, pode ser submetido, por causa do mesmo delito, a nova captura e a novos interrogatórios se surgirem novos indícios indicados pela lei, até que não acabe o tempo da prescrição fixada para o seu delito. Tal é, ao menos, o temperamento que me parece oportuno para defender a segurança e a liberdade dos súditos, sendo demasiado fácil que uma não seja favorecida em detrimento da outra, de modo que esses dois bens, segurança e liberdade, que compõem o inalienável e igualado patrimônio de cada cidadão, não sejam protegidos e custodiados, o primeiro, pelo aberto ou mascarado despotismo e, o segundo, pela turbulenta anarquia popular.

31
Delitos de prova difícil

Em vista desses princípios, parecerá estranho, para quem não considera que a razão não foi quase nunca a legisladora das nações, que os delitos mais atrozes ou mais obscuros e quiméricos, isto é, aqueles cuja improbabilidade é maior, sejam provados pelas conjecturas e pelas provas menores e equívocas; como se as leis e o juiz tivessem interesse não de buscar a verdade, mas de provar o delito; como se o perigo de condenar um inocente não fosse tanto maior quanto mais a probabilidade da inocência supera a probabilidade do reato. Falta na maioria dos homens aquele vigor necessário igualmente para os grandes delitos e para as grandes virtudes, razão pela qual parece que os grandes delitos sejam sempre contemporâneos às grandes virtudes naquelas nações que se sustentam pela atividade do governo e das paixões concordantes com o bem público. Nas nações que se sustentam pela sua massa ou pela constante bondade das leis, as paixões enfraquecidas parecem mais aptas a manter do que a melhorar a forma de governo. Disso se infere uma conclusão importante, a de que nem sempre, em uma nação, os grandes delitos provam o seu deperecimento.

Há alguns delitos que são ao mesmo tempo frequentes na sociedade e difíceis de serem provados, e, neles, a dificuldade da prova ocupa o lugar da probabilidade da inocência; o dano da impunidade, sendo tanto menos avaliável quanto maior é a frequência desses delitos, depende de princípios diversos do perigo da impunidade, de modo que o tempo do interrogatório e o tempo da prescrição devem ser diminuídos igualmente. Assim, os adultérios, a libido grega, que são delitos de prova difícil, são aqueles que, segundo os princípios recebidos, admitem as tirânicas presunções, as *quase provas*, as *semi-provas* (como se um homem pudesse ser *semi-inocente* ou *semi-culpado*, isto é, *semi-punível* ou *semi-absolvível*), e a tortura exercita o seu cruel império na pessoa do acusado, nas testemunhas e até mesmo em toda a família do infeliz, como com iníqua frieza ensinam alguns doutores que se apresentam aos juízes como norma e como lei.

O adultério é um delito que, considerado politicamente, adquire a sua força e a sua direção de duas causas: as leis variáveis dos homens e aquela fortíssima atração de um sexo pelo outro; esta é semelhante, em muitos casos, à gravidade motora do universo, porque, como ela, diminui com o aumento da distância, e se a gravidade modifica todos os movimentos dos corpos, a atração modifica quase todos os movimentos do ânimo até que dura a sua força; elas são dessemelhantes no fato de que a gravidade põe-se em equilíbrio com os obstáculos, enquanto a atração, na maioria das vezes, adquire força e vigor com o crescimento dos próprios obstáculos.

Se eu tivesse que falar a nações ainda privadas da luz da religião, diria que há ainda outra diferença considerável entre o adultério e os outros delitos. O adultério nasce do abuso de uma necessidade constante e universal a toda a humanidade, necessidade anterior, ou melhor, fundadora da sociedade, enquanto os outros delitos, dela destruidores, têm uma origem determinada mais por paixões momentâneas do que por uma necessidade natural. Tal necessidade parece, para quem conhece a história e o homem, ser sempre igual e ter uma quantidade constante no mesmo clima. Se isto fosse verdade, inúteis, ou melhor, perniciosas seriam aquelas leis e aqueles costumes que buscassem diminuir a soma total dessa necessidade, porque o seu efeito seria aumentar uma parte das necessidades próprias e das dos outros; mas sábias, ao contrário, seriam aquelas leis que, por assim dizer, seguindo a fácil inclinação do terreno, dividissem e distribuíssem a soma total dessa necessidade em porções iguais e pequenas, que impedissem uniformemente, em todas as partes, a aridez e o alagamento. A fidelidade conjugal é sempre proporcional ao número e à liberdade dos matrimônios. Onde os hereditários prejuízos os regem e onde o poder doméstico os constitui e os dissolve, ali a galanteria rompe secretamente os seus vínculos, a despeito da moral vulgar, cujo ofício é declamar contra os efeitos, perdoando as causas. Mas não têm necessidade de tais reflexões aqueles que, vivendo na verdadeira religião, têm motivos mais sublimes, que corrigem a força dos efeitos naturais. A ação de tal delito é tão instantânea e misteriosa, tão coberta por aquele mesmo véu que as leis puseram, véu necessário, mas frágil, e que aumenta o valor da coisa ao invés de diminuí-lo, as ocasiões são tão fáceis e, as consequências, tão equívocas, que está mais ao alcance do legislador preveni-lo do que corrigi-lo. Regra geral: quando os delitos, por natureza, costumam permanecer impunes, a pena torna-se um incentivo. É propriedade da nossa imaginação que as dificuldades, se não são insuperáveis ou demasiado difíceis para a preguiça do ânimo de cada homem, excitem mais vivamente a imaginação e aumentem o objeto, porque elas são barreiras quase igualmente grandes que impedem a vagabunda e volúvel imaginação de sair do objeto; esta, sendo assim constrangida a considerar todas as relações, mais estreitamente se associa à parte prazerosa, à qual o nosso ânimo lança-se mais naturalmente do que à parte dolorosa e funesta, da qual foge e afasta-se.

A sodomia, a Vênus Ática, tão severamente punida pelas leis e tão facilmente submetida aos tormentos, vencedores da inocência, tem o seu fundamento menos nas necessidades do homem isolado e livre do que nas paixões do homem sociável e escravo. Ela adquire a sua força não tanto da saciedade dos prazeres quanto daquela educação que começa a tornar os homens inúteis a si mesmos para torná-los úteis a outros; naquelas casas onde se condensa a ardente juventude e se tem uma barragem insuperável a todo outro comércio carnal, todo o vigor da natureza que se desenvolve consuma-se inutilmente para a humanidade, ou melhor, antecipa a sua velhice.

O infanticídio é igualmente o efeito da inevitável contradição em que é posta uma pessoa que cedeu por fraqueza ou por violência. Como alguém que se encontra entre a infâmia e a morte de um ser incapaz de sentir os seus males não preferirá a segunda opção à miséria infalível à qual seriam expostos a pessoa e o infeliz fruto? A melhor maneira de prevenir esse delito seria proteger com leis eficazes a fraqueza contra a tirania, a qual exagera os vícios que não podem cobrir-se com o manto da virtude.

Eu não pretendo diminuir o justo horror que merecem esses delitos; mas, tendo indicado as suas fontes, creio que tenho o direito de inferir uma conclusão geral, isto é, que não se pode chamar precisamente justa (o que quer dizer necessária) a pena a um delito até que a lei não tenha adotado o melhor meio possível, nas dadas circunstâncias de uma nação, de o prevenir.

32
Suicídio

O suicídio é um delito que parece não poder admitir uma pena propriamente dita, pois ela não pode recair senão sobre inocentes ou sobre um corpo frio e insensível. Se ela não causará nenhuma impressão sobre os viventes, como não causaria açoitar uma estátua, ela é injusta e tirânica, porque a liberdade política dos homens supõe necessariamente que as penas sejam pessoais. Os homens amam demasiadamente a vida, e tudo o que os circunda confirma-os nesse amor. A sedutora imagem do prazer e da esperança, docíssimo engano dos mortais, pela qual eles engolem em grandes goles o mal misturado com poucas e pequenas gotas de contentamento, alenta-os demasiadamente para que se deva temer que a necessária impunidade a tal delito tenha alguma influência sobre os homens. Quem teme a dor obedece às leis; mas a morte extingue no corpo todas as fontes da dor. Qual será, portanto, o motivo que deterá a mão desesperada do suicida?

Qualquer um que se mata faz menos mal à sociedade do que aquele que sai para sempre do seu país, porque aquele deixa todo o seu patrimônio, enquanto este transporta consigo parte dos seus pertences. Na verdade, se a força da sociedade consiste no número de cidadãos, aquele que se subtrai e se muda para uma nação vizinha faz um dano duas vezes maior do que aquele que, simplesmente com a morte, retira-se da sociedade. A questão, portanto, reduz-se a saber se é útil ou danoso à nação conceder a perpétua liberdade de se ausentar a cada um de seus membros.

Toda lei que não esteja encouraçada ou que se tornará insubsistente por causa da natureza das circunstâncias não deve ser promulgada; e assim como, sobre os ânimos, reina a opinião, que obedece às lentas e indiretas impressões do legislador e que resiste às diretas e violentas, as leis inúteis, desprezadas pelos homens, comunicam o seu aviltamento mesmo às leis mais salutares, que passam a ser consideradas mais um obstáculo a ser superado do que o depósito do bem público. Na verdade, se, como foi dito, os nossos sentimentos são limitados, os homens terão tanto menor veneração a objetos estranhos às leis quanto menor veneração tiverem às próprias leis. Desse princípio, o sábio dispensador da felicidade pública pode inferir algumas úteis conclusões, as quais, se eu as expusesse, afastar-me-iam demasiadamente do meu assunto, que é provar a inutilidade de fazer do Estado uma prisão. Tal lei é inútil porque, a menos que rochas inacessíveis ou um mar inavegável divida um país de todos os outros, como se fecha todos os pontos das suas fronteiras e como se protege os protetores? Quem tudo transporta consigo não pode, a partir do momento em que o fez, ser punido. Tal delito, logo depois que é cometido, não pode mais ser punido, e puni-lo antes é punir a vontade dos homens, e não as suas ações; é querer comandar a intenção, parte do homem livríssima do império das leis humanas. Punir o ausente nos bens que deixou, além da fácil e inevitável colusão, que, sem que se tiranizem os contratos, não pode ser eliminada, estagnaria todo comércio de uma nação com outra. Punir o criminoso quando retorna seria impedi-lo de reparar o mal que fez à sociedade tornando todas as ausências perpétuas. A proibição de sair de um país aumenta o desejo dos nacionais de sair e é uma advertência aos estrangeiros para não se introduzirem.

O que devemos pensar de um governo que não tem outro meio para deter os homens, naturalmente ligados pelas primeiras impressões da infância à sua pátria, além do temor? A maneira mais segura de fixar os cidadãos na pátria é aumentar o bem-estar relativo de cada um. Assim como se deve fazer todo esforço para que a balança do comércio penda a nosso favor, o maior interesse do soberano e da nação é que a soma da felicidade, quando comparada com a das nações circunstantes, seja a maior. Os prazeres do luxo não são os principais elementos dessa felicidade, por mais que ele seja um remédio necessário à desigualdade, que cresce com os progressos de uma nação; sem o luxo, as riquezas concentrar-se-iam em uma única mão. Onde os confins de um país aumentam em uma proporção maior do que a da sua população, ali o luxo favorece o despotismo, seja porque, quanto mais raros são os homens, tanto menor é a indústria, e, quanto menor é a indústria, tanto mais a pobreza depende do fasto e tanto mais difícil e menos temida é a reunião dos oprimidos contra os opressores, seja porque as adorações, os ofícios, as distinções e a submissão, que tornam mais sensível a distância entre o forte e o fraco, são obtidas mais facilmente por poucos do que por muitos, sendo os homens tanto mais independentes quanto menos são observados, e são tanto menos observados quanto maior é o seu número. Mas onde a população cresce em maior proporção do que a dos confins, o luxo opõe-se ao despotismo, porque anima a indústria e a atividade dos homens, e a necessidade oferece ao rico prazeres e confortos demasiados para os prazeres da ostentação, que aumentam a opinião de dependência, ocupando o maior lugar. Assim, pode ser observado que, nos Estados vastos, fracos e despovoados, o luxo da ostentação, se outras causas não lhe oferecem obstáculo, prevalece sobre aquele do conforto; mas nos Estados mais povoados do que vastos o luxo do conforto sempre diminui o da ostentação. Mas o comércio e a passagem dos prazeres do luxo têm o inconveniente de que, por mais que se apresentem em muitos, começam em poucos e terminam em poucos, e só uma pequeníssima parte dos homens degusta o seu maior número, de modo que esses prazeres não impedem o sentimento da miséria, causado mais pela comparação do que pela realidade. Mas são a segurança e a liberdade, limitadas somente pelas leis, que formam a base principal dessa felicidade; com elas, os prazeres do luxo favorecem a população e, sem elas, esses prazeres tornam-se o instrumento da tirania. Assim como as feras mais generosas e os livríssimos pássaros se afastam para as solitudes e as florestas inacessíveis e abandonam os férteis e alegres campos ao homem insidiador, os homens fogem dos mesmos prazeres quando a tirania os distribui.

Está, portanto, demonstrado que a lei que aprisiona os súditos no seu país é inútil e injusta. Portanto, é-lo igualmente a pena ao suicídio; e, por isso, o suicídio, por mais que seja uma culpa que Deus pune, porque só pode ser punido depois da morte, não é um delito contra os homens, porque a pena, ao invés de recair sobre o próprio criminoso, recai sobre a sua família. Se alguém me opusesse que tal pena pode ao menos reter um homem determinado a matar-se, eu responderia que quem tranquilamente renuncia ao bem da vida, quem odeia tanto a existência aqui em baixo que a ela prefere uma infeliz eternidade, não deve ser nada movido pela menos eficaz e mais longínqua consideração pelos filhos ou pelos parentes.

33
Contrabandos

O contrabando é um verdadeiro delito que ofende o soberano e a nação, mas a pena não deve ser infamante, porque, quando é cometido, ele não produz infâmia na opinião pública. Qualquer um que der penas infamantes aos delitos que não são repudiados como tais pelos homens diminuirá o sentimento de infâmia por aqueles delitos que o são. Qualquer um que vir estabelecida a pena de morte, por exemplo, a quem mata um faisão, a quem assassina um homem ou a quem falsifica um escrito importante não fará nenhuma diferença entre esses delitos; serão destruídos, dessa maneira, os sentimentos morais, obra de muitos séculos e de muito sangue, lentíssimos e difíceis de serem produzidos no ânimo humano, para cujo nascimento se consideraram necessários a ajuda dos mais sublimes motivos e um grande aparato de graves formalidades.

Esse delito nasce da própria lei, pois, aumentando-se a gabela, aumenta-se sempre a vantagem e, assim, a tentação de fazer o contrabando, e a facilidade de cometê-lo cresce com o aumento da fronteira a ser custodiada e com a diminuição do volume da mercadoria. A pena de perder a mercadoria contrabandeada e as coisas que a acompanham é justíssima, mas será tanto mais eficaz quanto menor for a gabela, porque os homens não correm riscos senão na proporção direta da vantagem que o resultado feliz da empresa produziria.

Mas por que esse delito não causa infâmia ao seu autor, sendo um furto feito ao príncipe e, consequentemente, à nação? Respondo que as ofensas que os homens creem que não podem ser feitas contra eles não lhes interessam tanto que baste para produzir a indignação pública contra quem as comete. Tal é o contrabando. Os homens, sobre os quais as consequências remotas causam fraquíssimas impressões, não veem o dano que pode acontecer-lhes por causa do contrabando, ou melhor, amiúde gozam as suas vantagens presentes. Eles não veem senão o dano feito ao príncipe; não estão, portanto, interessados de privar dos seus sufrágios quem faz um contrabando tanto quanto estão contra quem comete um furto privado, quem falsifica uma caligrafia ou quem faz outros males que podem acontecer-lhes. Princípio evidente de que todo ser sensível não se interessa senão pelos males que conhece.

Mas deverá permanecer impune tal delito se cometido por quem não tem nada a perder? Não; há contrabandos que interessam de tal modo a natureza do tributo, parte tão essencial e tão difícil em uma boa legislação, que tal delito merece uma pena considerável até a prisão ou a servidão; mas prisão e servidão conformes à natureza do delito. Por exemplo, a prisão do contrabandista de tabaco não deve ser tão comum quanto aquela do sicário ou do ladrão, e os trabalhos do primeiro, limitados ao trabalho e ao serviço para a mesma regalia que quis defraudar, serão os mais conformes à natureza das penas.

34
Dos devedores

A boa-fé dos contratos e a segurança do comércio constrangem o legislador a assegurar, aos credores, a pessoa dos devedores falidos, mas eu considero importante distinguir o falido doloso do falido inocente; o primeiro deveria ser punido com a mesma pena que é atribuída aos falsificadores de moedas, pois falsificar um pedaço de metal cunhado, que é um penhor das obrigações dos cidadãos, não é um delito maior do que falsificar as próprias obrigações. Mas o inocente falido, aquele que, depois de um rigoroso interrogatório, provou diante dos seus juízes que a malícia ou a desgraça alheia ou eventos inevitáveis pela prudência humana espoliaram-no dos seus bens, por qual bárbaro motivo deverá ser jogado em uma prisão, privado da nua liberdade, o único e triste bem que se lhe restava? Ele provará as angústias dos culpados e, com o desespero da probidade oprimida, arrepender-se-á talvez daquela inocência com a qual vivia tranquilo sob a tutela das leis que ele não tinha o poder de não ofender, leis ditadas pelos potentes com avidez e sofridas pelos fracos com aquela esperança que, na maioria das vezes, cintila no ânimo humano e faz-nos acreditar que os acontecimentos desfavoráveis são para os outros e, os vantajosos, para nós. Seria do interesse de todos que as leis fossem moderadas, mas os homens abandonados aos seus sentimentos mais óbvios amam as leis cruéis, por mais que estejam sujeitos a elas, porque é maior o temor de serem ofendidos do que a vontade de ofender. Retornando ao inocente falido, digo que, se a sua obrigação até o total pagamento deverá ser inextinguível, não se lhe seja concedido subtrair-se dela sem o consenso das partes interessadas e de mudar-se de país, quando a sua indústria deveria ser constrangida, sob penas, a ser empregada para o recolocar em condições de satisfazer proporcionalmente às metas; qual será o pretexto legítimo, como a segurança do comércio ou a sacra propriedade dos bens, que justifique a privação da liberdade, inútil senão no caso de fazer, com os males da escravidão, que um suposto inocente falido revele os seus segredos, caso raríssimo se houve um rigoroso interrogatório? Considero uma máxima da legislação que o valor dos inconvenientes políticos causados pela liberdade de um criminoso esteja na proporção direta do dano público causado pelo delito e na proporção inversa da improbabilidade do delito ser verificado. Poder-se-ia distinguir o dolo da culpa grave, a grave da leve, e esta da perfeita inocência, atribuir ao dolo as penas aos delitos de falsificação, à culpa grave, penas menores, mas com privação da liberdade, reservar à perfeita inocência a escolha livre dos meios de restabelecer-se, e eliminar, nos casos de culpa leve, essa liberdade de escolha, deixando-a aos credores. Mas as distinções de culpa grave e leve devem ser fixadas pela cega e imparcial lei, não pela perigosa e arbitrária prudência dos juízes. As fixações dos limites são necessárias tanto na política quanto na matemática, tanto na medida do bem público quanto na medida das grandezas[7].

Com qual facilidade o próvido legislador poderia impedir uma grande parte dos falimentos culpáveis e remediar as desgraças do inocente industrioso? O registro público e manifesto de todos os contratos, a liberdade de todos os cidadãos de consultar esses documentos, mantidos bem ordenados, e um banco público formado dos tributos sabiamente repartidos sobre a feliz mercancia e destinado a socorrer, com as somas oportunas, o infeliz e inculpável comerciante não teriam nenhum real inconveniente e poderiam produzir inumeráveis vantagens. Mas as fáceis, simples e grandes leis, que não esperam senão o aceno do legislador para expandirem, no seio da nação, a abundância e a robustez, leis que o colmariam de hinos imortais de reconhecimento de geração em geração, são as menos conhecidas ou as menos desejadas. Um espírito inquieto e minucioso, a tímida prudência do momento presente e uma premunida rigidez diante das novidades apoderam-se dos sentimentos de quem concilia a multidão das ações dos pequenos mortais.

35
Asilos

Restam-me ainda duas questões para examinar. Uma é se os asilos são justos e se o pacto de trocarem reciprocamente os criminosos entre as nações é útil ou não. Dentro dos confins de um país, não deve haver nenhum lugar independente das leis. A sua força deve seguir todo cidadão, como a sombra segue o corpo. A impunidade e o asilo não se diferenciam senão na gradação, e, como a impressão da pena consiste mais na segurança de encontrá-la do que na sua força, os asilos mais convidam aos delitos do que as penas afastam. Multiplicar os asilos é formar tantas pequenas soberanias, porque, onde as leis não comandam, ali podem formar-se leis novas e opostas às comuns e, assim, um espírito oposto ao do corpo inteiro da sociedade. Toda a história mostra que dos asilos saíram grandes revoluções nos Estados e nas opiniões dos homens. A persuasão de não encontrar um palmo de terra que perdoe os verdadeiros delitos é um meio eficacíssimo de preveni-los; mas a questão se é útil trocar reciprocamente os criminosos entre as nações, eu não ousarei decidi-la até que as leis mais conformes às necessidades da humanidade, as penas mais suaves e a extinção da força do arbítrio e da opinião não tornem seguras a inocência oprimida e a detestada virtude, e até que a tirania não ceda totalmente à razão universal, que cada vez mais une os interesses do trono e dos súditos, e não esteja confinada nas vastas planícies da Ásia.

36
Da recompensa

A outra questão é se é útil pôr a cabeça de um homem conhecidamente criminoso a prêmio e, armando cada cidadão, torná-lo um carnífice. O criminoso está fora ou dentro dos confins do país que ofendeu; no primeiro caso, o soberano estimula os cidadãos de outro país a cometer um delito, expondo-os a um suplício; ele faz, assim, uma injúria e uma usurpação de autoridade nos domínios alheios e autoriza, dessa maneira, as outras nações a fazer o mesmo com ele; no segundo caso, ele mostra a sua própria fraqueza. Quem tem a força para defender-se não tenta comprá-la. Além disso, tal édito desconcerta todas as ideias de moral e de virtude, que, a cada mínimo vento, desvanecem no ânimo humano. As leis ora convidam à traição, ora a punem. O legislador, com uma mão, estreita os vínculos de família, parentela e amizade e, com a outra, premia quem os rompe e quem os despedaça; sempre contraditório a si mesmo, ele ora convida à confiança os ânimos suspeitosos dos homens, ora espalha a desconfiança em todos os corações. Ao invés de prevenir um delito, ele faz nascer cem. Esses são os expedientes das nações fracas, cujas leis não são senão temporários reparos a um edifício ruinoso que desaba em toda parte. À medida que crescem os lumes em uma nação, a boa-fé e a confiança recíproca tornam-se mais necessárias e, cada vez mais, tendem a confundir-se com a verdadeira política. Os artifícios, as cabalas e as estradas obscuras e indiretas tornam-se mais previsíveis, e, cada vez mais, a sensibilidade de todos refreia a sensibilidade de cada um em particular. Os séculos de ignorância, nos quais a moral pública induz os homens a obedecer à privada, servem de instrução e de experiência aos séculos iluminados. Mas as leis que premiam a traição e que excitam uma guerra clandestina, espalhando a suspeição recíproca entre os cidadãos, opõem-se a essa tão necessária reunião da moral e da política, reunião que concederia aos homens a sua felicidade, às nações, a paz e, ao universo, um mais longo intervalo de tranquilidade e de repouso entre os males que o circundam.

37
Tentativas de delito, cúmplices, impunidade

Não é porque as leis não punem a intenção que uma ação que inicia um delito e que manifesta a vontade de executá-lo não mereça uma pena, ainda que menor do que aquela que mereceria a própria execução do delito. A importância de prevenir uma tentativa de delito autoriza uma pena; mas porque, entre a tentativa e a execução, pode haver um intervalo, a pena maior sendo reservada ao delito consumado, pode dar lugar ao arrependimento. O mesmo se diga, mas por uma razão diversa, quando um delito tem muitos cúmplices e nem todos são executores diretos. Quando muitos homens se reúnem em algo arriscado, quanto mais risco correm, tanto mais tentam que ele seja igual para todos; será, portanto, mais difícil encontrar quem queira ser o executor, correndo um risco maior do que o dos outros cúmplices. A única exceção seria no caso de que, ao executor, fosse fixado um prêmio; tendo ele, então, uma compensação pelo maior risco, a sua pena deveria ser igual à dos outros. Tais reflexões parecem demasiado metafísicas para quem não considera que é utilíssimo que as leis deem aos companheiros de um delito as menores possibilidades possíveis de acordo entre si.

Alguns tribunais oferecem a impunidade ao cúmplice de um grave delito que delata os seus companheiros. Tal expediente tem os seus inconvenientes e as suas vantagens. Os inconvenientes são que a nação autoriza a traição, detestável mesmo entre os celerados, porque são menos fatais a uma nação os delitos de coragem do que os de vileza; a coragem não é frequente e não espera senão uma força benéfica e direcionadora que a faça concordar com o bem público, e a vileza é mais comum e contagiosa e cada vez mais se concentra em si mesma. Além disso, o tribunal mostra a sua própria incerteza e a fraqueza da lei, que implora a ajuda de quem a ofende. As vantagens são a prevenção de delitos importantes, que, sendo patentes os efeitos e ocultos os autores, atemorizam o povo; além disso, contribui-se para mostrar que quem falta à fé à lei, isto é, ao público, provavelmente faltará à fé ao privado. Parece-me que uma lei geral que prometa a impunidade ao cúmplice delator de qualquer delito seja preferível a uma especial declaração em um caso particular, porque, assim, prevenir-se-iam as reuniões com o recíproco temor que cada cúmplice teria de expor os companheiros; o tribunal não tornaria audazes os celerados que veem, em um caso particular, ser pedido o seu socorro. Tal lei, porém, deveria acrescentar à impunidade o banimento do delator... Mas em vão me atormento para destruir o remorso que sinto autorizando as sacrossantas leis, o monumento da confiança pública e a base da moral humana, à traição e à dissimulação. Qual seria o exemplo à nação se se faltasse à impunidade prometida e, apoiando-se em doutas cavilações, se arrastasse ao suplício, a despeito da fé pública, quem correspondeu ao convite das leis? Não são raros nas nações tais exemplos, e, por isso, não são raros aqueles que não têm de uma nação outra ideia além de uma máquina complicada, cujos dispositivos são movidos pelo talento do mais destro e do mais potente; frios e insensíveis a tudo o que forma a delícia das almas tenras e sublimes, excitam com imperturbável sagacidade os sentimentos mais caros e as paixões mais violentas, assim que as veem úteis ao seu fim, soando os ânimos como os músicos soam os instrumentos.

38
Interrogações sugestivas, deposições

As nossas leis proscrevem as interrogações chamadas de *sugestivas* em um processo, isto é, aquelas que, segundo os doutores, interrogam, em referência às circunstâncias de um delito, sobre a *espécie*, enquanto deviam interrogar sobre o *gênero*; isto é, aquelas interrogações que, fazendo uma referência direta ao delito, *sugerem* ao réu uma resposta direta. As interrogações, segundo os criminalistas, devem, por assim dizer, encobrir o fato com uma espiral, jamais ir a ele em linha reta. Recorre-se a esse método para não *sugerir* ao réu uma resposta que o livre da acusação ou, talvez, porque parece contra a própria natureza que um réu acuse-se diretamente. Qualquer que, entre esses dois, seja o motivo, é notável a contradição das leis que, junto com tal costume, autorizam a tortura; porque qual interrogação é mais *sugestiva* do que a dor? O primeiro motivo verifica-se na tortura, porque a dor *sugerirá* ao robusto uma obstinada taciturnidade para trocar a maior pena pela menor, e ao fraco *sugerirá* a confissão para liberar-se do tormento presente, que, àquele momento, tem mais efeito sobre ele do que a dor futura. O segundo motivo é, evidentemente, o mesmo, porque se uma interrogação *especial* faz, contra o direito de natureza, que um réu confesse, as agonias fá-lo-ão muito mais facilmente; mas os homens regulam-se mais pela diferença dos nomes do que pela diferença das coisas. Entre os outros abusos da gramática, os quais não influíram pouco nas questões humanas, é notável aquele que torna nula e ineficaz a deposição de um criminoso já condenado; ele *morreu civilmente*, dizem gravemente os peripatéticos jurisconsultos, e um *morto* não é capaz de nenhuma ação. Para sustentar essa vã metáfora, muitas vítimas foram sacrificadas, e bem frequentemente se disputou, com séria reflexão, se a verdade deveria ceder às fórmulas judiciais. Com a condição de que as deposições de um criminoso condenado não cheguem a um ponto em que impeçam o curso da justiça, por que não se deverá conceder à extrema miséria do criminoso e aos interesses da verdade, mesmo depois da condenação, um espaço côngruo, de modo que, aduzindo coisas novas, que alteram a natureza do fato, ele possa justificar si mesmo ou outros com um novo julgamento? As formalidades e as cerimônias são necessárias na administração da justiça, seja porque nada deixam ao arbítrio do administrador, seja porque dão ao povo a ideia de um julgamento que não é tumultuário e interessado, mas estável e regular, seja porque, nos homens imitadores e escravos do hábito, as sensações causam uma impressão mais eficaz do que os raciocínios. Mas as formalidades e as cerimônias nunca podem, sem um fatal perigo, ser fixadas pela lei de maneira que danifiquem a verdade, a qual, por ser demasiado simples ou demasiado complexa, tem necessidade de uma pompa externa que cative o povo ignorante. Finalmente, aquele que, no interrogatório, obstina-se a não responder às interrogações que lhe são feitas merece uma pena fixada pelas leis, e pena entre as mais severas que estas intimam, para que, assim, os homens não deludam a necessidade do exemplo que devem ao público. É desnecessária essa pena quando não se tem dúvida de que tal acusado cometeu tal delito, de modo que as interrogações são inúteis, da mesma maneira que é inútil a confissão do delito quando outras provas justificam a culpabilidade. Esse último caso é o mais ordinário, porque a experiência mostra que, na maioria dos processos, os réus negam.

39
De um gênero particular de delitos

Qualquer um que ler esta obra perceberá que eu omiti um gênero de delitos que cobriu a Europa de sangue humano e que alçou aquelas funestas catastas, sobre as quais vivos corpos humanos serviam de alimento às chamas, quando era alegre espetáculo e grata harmonia para a cega multidão ouvir os surdos e confusos gemidos dos miseráveis, gemidos que saíam dos vórtices de fumaça preta de membros humanos, entre o crepitar dos ossos carbonizados e o frigir das vísceras ainda palpitantes. Mas os homens racionais verão que o lugar, o século e a matéria não me permitem examinar a natureza de tal delito. Demasiado longo, e fora do meu assunto, seria provar que é necessária uma perfeita uniformidade de pensamentos em um Estado, contra o exemplo de muitas nações; que opiniões, que se distinguem umas da outras somente por algumas sutilíssimas e obscuras diferenças demasiado distantes da capacidade humana, podem desconcertar o bem público, quando uma delas não está autorizada em detrimento das outras; e que a natureza das opiniões é composta de tal modo que, enquanto algumas, fermentando e combatendo entre si, esclarecem-se com a contenda, e, sobrenadando as verdadeiras, as falsas submergem no esquecimento, outras, mal defendidas pela sua nua constância, devem revestir-se de autoridade e de força. Demasiado longo seria provar que o império da força sobre as mentes humanas é necessário e indispensável, por mais que ele pareça odioso, sendo as suas únicas conquistas a dissimulação e o aviltamento, e por mais que ele pareça contrário ao espírito de mansuetude e fraternidade comandado pela razão e pela autoridade que mais veneramos. Tudo isso deve ser considerado evidentemente provado e conforme aos verdadeiros interesses dos homens, se é exercitado por alguém com reconhecida autoridade. Eu não falo senão dos delitos que emanam da natureza humana e do pacto social, e não dos pecados, cujas penas, mesmo as temporais, devem ser reguladas por outros princípios além daqueles de uma limitada filosofia.

40
Falsas ideias de utilidade

Uma fonte de erros e de injustiças são as falsas ideias de utilidade que os legisladores formam. Falsa ideia de utilidade é aquela que antepõe os inconvenientes particulares ao inconveniente geral; é aquela que comanda os sentimentos ao invés de excitá-los e que diz à lógica: serve! Falsa ideia de utilidade é aquela que sacrifica mil vantagens reais por receio de um inconveniente imaginário ou de pouca consequência; é aquela que retiraria dos homens o fogo, porque incendeia e, a água, porque afoga, e que não repara os males senão com a destruição. As leis que proíbem portar armas são de tal natureza; elas não desarmam senão os que não estão inclinados nem determinados aos delitos; como aqueles que têm a coragem de violar as leis mais sacras da humanidade e as mais importantes do código respeitarão as menores e puramente arbitrárias? As contravenções às leis que proíbem portar armas são fáceis e permanecem impunes, enquanto a execução exata dessas leis tira a liberdade pessoal, caríssima ao homem, caríssima ao iluminado legislador, e submete os inocentes a todas as vexações devidas aos criminosos. Essas leis pioram a condição dos assaltados e melhoram a dos assaltadores, e não diminuem os homicídios, mas aumentam-nos, porque a confiança em assaltar os desarmados é maior do que em assaltar os armados. Essas leis são chamadas não de preventivas, mas de medrosas dos delitos, e nascem da tumultuosa impressão de alguns fatos particulares, não da raciocinada meditação dos inconvenientes e das vantagens de um decreto universal. Falsa ideia de utilidade é aquela que deseja dar a uma multidão de seres sensíveis a simetria e a ordem que sofre a matéria bruta e inanimada; é aquela que transcura os motivos presentes, que só com constância e com força agem sobre a multidão, para dar força aos motivos distantes, cuja impressão é brevíssima e fraca, se a força da imaginação, não ordinária à humanidade, não supre a distância do objeto com o seu aumento. Finalmente, é falsa ideia de utilidade aquela que, sacrificando a coisa ao nome, separa o bem público do bem de todos os particulares. Há uma diferença entre o estado de sociedade e o estado de natureza, pois o homem selvagem não causa dano a outro senão o quanto basta para fazer um bem a si mesmo, enquanto o homem sociável é, às vezes, induzido pelas más leis a ofender outros sem fazer um bem a si mesmo. O déspota lança o temor e o abatimento no ânimo dos seus escravos, mas o temor, repercutindo-se, retorna com maior força para atormentar o ânimo do déspota. Quanto mais o temor é solitário e doméstico, tanto menos ele é perigoso para quem o faz instrumento da sua felicidade; mas quanto mais ele é público e mais homens agita, tanto mais é fácil que seja o imprudente, o desesperado ou o audaz cauteloso que faça que os homens o sigam, despertando neles sentimentos tanto mais gratos e mais sedutores quanto mais o risco da interpresa recai sobre um maior número; e o valor que os infelizes dão à sua própria existência diminui na proporção direta da miséria que sofrem. A causa pela qual as ofensas fazem nascer outras novas é que o ódio é um sentimento tanto mais durável do que o amor quanto mais o primeiro retira a sua força da continuidade dos atos que enfraquecem o segundo.

41
Como prevenir os delitos

É melhor prevenir os delitos do que puni-los. Esse é o fim principal de toda boa legislação, que é a arte de conduzir os homens ao máximo de felicidade ou ao mínimo de infelicidade possível, para falar conforme todos os cálculos dos bens e dos males da vida. Mas os meios empregados até agora são, na maioria das vezes, falsos e opostos ao fim proposto. Não é possível reduzir a turbulenta atividade dos homens a uma ordem geométrica, sem irregularidades e confusões. Assim como as constantes e simplíssimas leis da natureza não impedem que os planetas não se perturbem nos seus movimentos, as leis humanas, nas infinitas e opostíssimas atrações do prazer e da dor, não podem impedir os turbamentos e as desordens. No entanto, essa é a quimera dos homens limitados, quando têm o comando em mãos. Proibir uma multidão de ações indiferentes não é prevenir os delitos que delas podem nascer, mas é criar outros novos; é definir, a bel-prazer, a virtude e o vício, que nos são predicados como eternos e imutáveis. A que seremos reduzidos se nos for vetado tudo o que pode nos induzir ao delito? Seria preciso privar o homem do uso dos seus sentidos. Para um motivo que impele os homens a cometer um verdadeiro delito, há mil que os impelem a cometer aquelas ações indiferentes que são chamadas de delitos pelas más leis; e se a probabilidade dos delitos é proporcional ao número dos motivos, ampliar a esfera dos delitos é aumentar a probabilidade de que sejam cometidos. A maior parte das leis não é senão privilégios, isto é, um tributo de todos ao conforto de alguns poucos.

Quereis prevenir os delitos? Fazei que as leis sejam claras e simples, que toda a força da nação esteja voltada a defendê-las e que nenhuma parte dessa força seja empregada em destruí-las.

Fazei que as leis favoreçam menos as classes dos homens do que todos os homens. Fazei que os homens as temam, e que temam elas só. O temor das leis é salutar, mas fatal e fecundo de delitos é o temor entre os homens. Os homens escravos são mais voluptuosos, mais libertinos e mais cruéis do que os homens livres. Estes meditam sobre as ciências, meditam sobre os interesses da nação, veem grandes objetos e imitam-nos; mas aqueles, contentes só com o dia presente, buscam, no estrépito da libertinagem, uma distração da aniquilação em que se veem; acostumados à incerteza do resultado de todas as coisas, o resultado dos seus delitos torna-se problemático para eles em vantagem da paixão que os guia. A incerteza das leis, se recai sobre uma nação indolente pelo clima, mantém e aumenta a indolência e a estupidez dessa nação. Se recai sobre uma nação voluptuosa, mas ativa, ela dispersa a atividade dessa nação em um infinito número de pequenas cabalas e intrigas, que espalham a desconfiança em todos os corações e que fazem da traição e da dissimulação a base da prudência. Se recai sobre uma nação corajosa e forte, a incerteza é eliminada ao fim, formando antes muitas oscilações da liberdade à escravidão e da escravidão à liberdade.

42
Das ciências

Quereis prevenir os delitos? Fazei que os lumes acompanhem a liberdade. Os males que nascem dos conhecimentos estão na proporção inversa da difusão que estes têm, e os bens estão na proporção direta. Um ousado impostor, que nunca é um homem vulgar, recebe as adorações de um povo ignorante e as vaias de um iluminado. Os conhecimentos, facilitando as comparações entre os objetos e multiplicando os pontos de vista, permitem que os homens contraponham muitos sentimentos uns aos outros e que os modifiquem tanto mais facilmente quanto mais preveem nos outros homens as mesmas visões e as mesmas resistências. Perante os lumes esparsos com profusão na nação, silencia-se a caluniosa ignorância e treme a autoridade privada da razão, mas a vigorosa força das leis permanece imóvel; porque não há homem iluminado que não ame os pactos públicos, claros e úteis da segurança comum ao comparar o pouco da inútil liberdade sacrificada por ele com a soma de todas as liberdades sacrificadas pelos outros homens, os quais, sem as leis, poderiam conspirar contra ele. Qualquer um que tenha uma alma sensível e que lance um olhar sobre um código de leis bem feitas reconhecerá não ter perdido senão a funesta liberdade de fazer um mal a outro e será constrangido a bendizer o trono e quem o ocupa.

Não é verdade que as ciências sejam sempre danosas à humanidade, e, quando o foram, o mal aos homens era inevitável. A multiplicação do gênero humano sobre a face da Terra introduziu a guerra, as artes mais rústicas e as primeiras leis, que eram pactos momentâneos que nasciam com a necessidade e que pereciam com ela. Essa foi a primeira filosofia dos homens, filosofia cujos poucos elementos eram justos, porque a indolência e a pouca sagacidade dos homens preservava-os do erro. Mas as necessidades multiplicaram-se cada vez mais com a multiplicação dos homens. Eram, portanto, necessárias impressões mais fortes e mais duráveis, que os demovessem dos repetidos retornos ao primeiro estado de insociabilidade, que se tornava cada vez mais funesto. Fizeram, portanto, um grande bem à humanidade aqueles primeiros erros que povoaram a Terra de falsas divindades (digo grande bem político) e que criaram um universo invisível regulador do nosso. Foram benfeitores dos homens aqueles que ousaram surpreendê-los e que arrastaram, aos altares, a dócil ignorância. Apresentando aos homens objetos situados além dos sentidos, que fugiam da sua frente à medida que criam alcançá-los, objetos nunca desprezados, porque nunca bem conhecidos, esses benfeitores reuniram e condensaram as divididas paixões em um único objeto, que fortemente ocupava os homens. Esses foram os primeiros eventos de todas as nações que se formaram dos povos selvagens; essa foi a época da formação das grandes sociedades, e tal foi o vínculo necessário para tanto, e talvez o único. Não falo daquele povo eleito por

Deus, para o qual os milagres mais extraordinários e as graças mais destacadas tiveram o lugar da política humana. Mas, assim como é propriedade do erro subdividir-se ao infinito, as ciências que dele nasceram fizeram dos homens uma fanática multidão de cegos, que, em um labirinto fechado, chocavam-se e desconsertavam-se, de modo que algumas almas sensíveis e filosóficas lamentaram até mesmo o antigo estado selvagem. Eis a primeira época, em que os conhecimentos, ou melhor, as opiniões eram danosas.

A segunda época é a da difícil e terrível passagem dos erros à verdade, da obscuridade desconhecida à luz. O choque imenso dos erros úteis aos poucos potentes com as verdades úteis aos muitos fracos, a aproximação e a fermentação das paixões, que se despertaram àquela ocasião, fizeram infinitos males à miserável humanidade. Qualquer um que reflita sobre a história, cujos eventos, depois de certos intervalos de tempo, assemelham-se quanto às épocas principais, encontrará muitas vezes uma geração inteira sacrificada à felicidade daquelas que lhe sucedem na desventurada, mas necessária passagem das trevas da ignorância à luz da filosofia e da tirania à liberdade, estas consequências daquelas. Mas agora que se acalmam os ânimos e se extingue o incêndio que purga a nação dos males que a oprimem, agora que a verdade, cujos progressos, no início, são lentos, mas, depois, acelerados, senta-se no trono dos monarcas e tem culto e ara nos parlamentos das repúblicas, quem poderá asserir que a luz que ilumina a multidão é mais danosa do que as trevas? Quem poderá asserir que as verdadeiras e simples relações das coisas bem conhecidas pelos homens lhes são funestas?

Se a cega ignorância é menos fatal do que o medíocre e confuso saber, pois este acrescenta, aos males daquela, os males do erro inevitável por quem tem uma visão restrita aquém dos confins do verdadeiro, o homem iluminado é o dom mais precioso que o soberano faz à nação e a si mesmo, pois aquele reconhece neste o depositário e o protetor das santas leis. O homem iluminado está acostumado a ver a verdade e a não temê-la; ele está isento da maioria das necessidades da opinião, que nunca estão plenamente satisfeitas e que põem à prova a virtude da maioria dos homens; ele está acostumado a contemplar a humanidade dos pontos de vista mais elevados; diante dele, a sua própria nação torna-se uma família de irmãos, e a distância que separa os grandes do povo parece-lhe tanto menor quanto maior é a massa da humanidade que ele tem diante dos olhos. Os filósofos adquirem necessidades e interesses desconhecidos pelos vulgares, principalmente o interesse de não desmentir, em público, os princípios predicados na obscuridade, e adquirem o hábito de amar a verdade por ela mesma. A eleição de um filósofo forma a felicidade de uma nação, mas felicidade momentânea, se as boas leis não aumentam de tal modo o número desses homens que diminuem a probabilidade sempre grande de uma má eleição.

43
Magistrados

Outro meio de prevenir os delitos é interessar a assembleia executora das leis mais a observá-las do que a corrompê-las. Quanto maior é o número daqueles que a compõem, tanto menos perigosa é a usurpação de poder acima das leis, porque a venalidade é mais difícil entre membros que se observam entre si; estes estão tanto menos interessados em aumentar a sua própria autoridade quanto menor é a porção de autoridade que toca a cada um, maximamente quando comparada com o perigo da interpresa. Se o soberano, com o aparato e com a pompa, com a austeridade dos éditos e com a proibição das justas e das injustas querelas dos que se creem oprimidos, acostumar os súditos a temer mais os magistrados do que as leis, estes lucrarão mais desse temor do que dele ganhará a segurança do soberano e a pública.

44
Recompensas

Outro meio de prevenir os delitos é recompensar a virtude. Sobre esse assunto, observo um silêncio universal nas leis de todas as nações de hoje. Se os prêmios propostos pelas academias aos descobridores das úteis verdades multiplicaram os conhecimentos e os bons livros, por que os prêmios distribuídos pela benéfica mão do soberano não multiplicariam, outrossim, as ações virtuosas? A moeda da honra é sempre inexaurível e frutífera nas mãos do sábio distribuidor.

45
Educação

Finalmente, o mais seguro, mas mais difícil meio de prevenir os delitos é perfeiçoar a educação, objeto demasiado vasto e que excede os confins que me prescrevi, objeto, ouso também dizer, que está muito intrinsecamente relacionado com a natureza do governo para que não seja sempre, até que cheguem os séculos mais longínquos da felicidade pública, um campo estéril, cultivado aqui e ali só por poucos sábios. Um grande homem, que ilumina a humanidade que o persegue, mostrou em detalhe quais são as principais máximas da educação verdadeiramente útil aos homens, isto é, que ela consista menos em uma estéril multidão de objetos do que na escolha e precisão destes; que ela substitua os originais às cópias nos fenômenos tanto morais quanto físicos que o acaso ou a indústria apresenta aos novos ânimos dos jovens; e que ela os impila à virtude pela fácil estrada do sentimento e os desvie do mal pela infalível estrada da necessidade e do inconveniente, e não pela incerta estrada do comando, que não obtém senão uma simulada e momentânea obediência.

46
Das graças

À medida que as penas se tornam mais suaves, a clemência e o perdão tornam-se menos necessários. Feliz a nação em que estes serão funestos! A clemência, portanto, aquela virtude que às vezes foi, para o soberano, o suplemento a todos os deveres do trono, deveria ser excluída em uma perfeita legislação, em que as penas fossem suaves e, o método de julgar, regular e expedito. Essa verdade parecerá dura para quem vive na desordem do sistema criminal, em que o perdão e as graças são necessários na proporção direta da absurdidade das leis e da atrocidade das condenações. A clemência é a mais bela prerrogativa do trono, é o mais desejável atributo do soberano, mas é a tácita desaprovação que os benéficos dispensadores da felicidade pública dão a um código que, com todas as suas imperfeições, tem a seu favor o preconceito dos séculos, o voluminoso e imponente conjunto de infinitos comentadores, o grave aparato das eternas formalidades e a adesão dos mais insinuantes e menos temidos semi-doutores. Mas considere-se que a clemência é a virtude do legislador, e não do executor das leis, e que ela deve resplandecer no código, não nos julgamentos particulares; considere-se que mostrar aos homens que os delitos podem ser perdoados e que a pena não é a sua necessária consequência é fomentar a adulação da impunidade e fazer acreditar que, podendo-se perdoar, as condenações não perdoadas são mais violências da força do que emanações da justiça. O que devemos dizer quando o príncipe concede as graças, isto é, a segurança pública a um particular, e que, com um ato privado de não iluminada beneficência, forma um decreto público de impunidade. Sejam, portanto, inexoráveis as leis, sejam inexoráveis os seus executores nos casos particulares, mas seja suave, indulgente e humano o legislador. Como um sábio arquiteto, erga o seu edifício sobre a base do amor próprio e faça que o interesse geral seja o resultado dos interesses de cada um, para que não seja constrangido, com leis parciais e com remédios tumultuosos, a separar a cada momento o bem público do bem dos particulares e para que alce o simulacro da saúde pública acima do temor e da desconfiança. Como um profundo e sensível filósofo, deixe que os homens, seus irmãos, gozem em paz aquela pequena porção de felicidade que o imenso sistema, estabelecido pela primeira Causa, por aquele que é, permite que eles gozem neste canto do universo.

Conclusão

Concluo com a reflexão de que a força das penas deve ser relativa ao estado da nação. Mais fortes e sensíveis devem ser as impressões sobre os ânimos endurecidos de um povo recém-saído do estado selvagem. É necessário um raio para abater o feroz leão que se revolta com o tiro do fuzil. Mas à medida que os ânimos se amolecem no estado de sociedade, cresce a sensibilidade, e, à medida que cresce a sensibilidade, deve-se diminuir a força das penas, se se quer manter constante a relação entre o objeto e a sensação.

Daquilo que se viu até agora, pode-se inferir um teorema geral muito útil, mas pouco conforme ao uso, que é o legislador mais ordinário das nações, isto é: *para que uma pena não seja uma violência de um ou de muitos contra um privado cidadão, ela deve ser essencialmente pública, imediata, necessária, a menor das possíveis nas dadas circunstâncias, proporcional ao delito e ditada pelas leis.*

Notas

1 No original, a epígrafe está em latim: "In rebus quibuscumque difficilioribus non expectandum, ut quis simul, et serat, et metat, sed praeparatione opus est, ut per gradus maturescant" [NdT].

2 Vale ressaltar que, de acordo com a quarta edição do *Vocabolario della Crusca* (Florença, 1729-1738, 6 vols.), o termo "indústria" (no original, *industria*) significa "diligência engenhosa" (vol. 2, p. 806). O termo ainda não havia adquirido as acepções mais recentes de fábrica ou de conjunto de fábricas que transformam matérias-primas em bens de consumo [NdT].

3 Beccaria refere-se às *Note ed osservazioni sul libro intitolato Dei delitti, e delle pene*, de Ferdinando Facchinei, publicadas em 1765 [NdT].

4 A voz obrigação é uma daquelas que são muito mais frequentes em moral do que em todas as outras ciências e que são um sinal abreviado de um raciocínio, não de uma ideia: buscai uma referente à palavra obrigação, e não encontrareis; fazei um raciocínio, e entendereis vós mesmos e sereis entendidos [NdA].

5 No original, *reo*. De acordo com a 4ª edição do *Vocabolario della Crusca* (Florença, 1729-1738, 6 vols.), *reo* indica alguém que é "malvado, celerado, culpado, danoso, que tem em si qualidade malvada" (vol. 4, p. 106). Traduzi o termo, assim, por "criminoso" ou "culpado", conforme o contexto de cada uma das suas aparições. Porém, quando Beccaria emprega o termo para se referir a um "criminoso" que está em julgamento, optei por "réu", isto é, aquele que responde por uma acusação. O próprio Beccaria sustenta, no início do cap. 16, que "Um homem não pode ser chamado de *criminoso [reo]* antes da sentença do juiz" [NdT].

6 Entre os criminalistas, a credibilidade de um testemunho é tanto maior quanto mais o delito é atroz. Eis o férreo ditado da mais cruel imbecilidade: *In atrocissimis leviores coniecturae sufficiunt, et licet iudici iura transgredi*. Traduzamo-lo ao vulgar, e vejam os europeus um dos muitíssimos e igualmente racionais ditames aos quais, quase sem saber, estão sujeitos: *Nos atrocíssimos delitos, isto é, nos menos prováveis, as mais leves conjecturas bastam, e é lícito ao juiz ultrapassar o direito.* Os práticos absurdos da legislação são frequentemente produzidos pelo temor, fonte principal das contradições humanas. Amedrontados os legisladores (tais são os jurisconsultos autorizados pela sorte a decidir sobre tudo e a tornarem-se, de escritores interessados e venais, árbitros e legisladores da fortuna dos homens) pela condenação de um inocente, carregam o direito de desmedidas formalidades e exceções, cuja exata observação faria sentar a anárquica impunidade no trono da justiça; amedrontados por alguns delitos atrozes e difíceis de provar, pensaram-se na necessidade de passar por cima das mesmas formalidades que haviam estabelecido, e, assim, com despótica impaciência ou com mulheril temor, transformaram os graves julgamentos em uma espécie de jogo, em que o azar e o logro desempenham o papel principal [NdA].

7 O comércio e a propriedade dos bens não são um fim do pacto social, mas podem ser um meio para obtê-lo. Expor todos os membros da sociedade aos males originados das muitas combinações sociais que existem seria subordinar os fins aos meios, paralogismo de todas as ciências e, maximamente, da política; incorri nesse paralogismo nas precedentes edições, nas quais eu disse que o inocente falido deveria ser custodiado como penhor dos seus débitos ou adotado como escravo para trabalhar para os seus credores. Tenho vergonha de ter escrito isso. Fui acusado de irreligião, e não o merecia. Fui acusado de sedição, e não o merecia. Ofendi os direitos da humanidade, e ninguém me repreendeu [NdA].

Vozes de Bolso

- *Assim falava Zaratustra* – Friedrich Nietzsche
- *O Príncipe* – Nicolau Maquiavel
- *Confissões* – Santo Agostinho
- *Brasil: nunca mais* – Mitra Arquidiocesana de São Paulo
- *A arte da guerra* – Sun Tzu
- *O conceito de angústia* – Søren Aabye Kierkegaard
- *Manifesto do Partido Comunista* – Friedrich Engels e Karl Marx
- *Imitação de Cristo* – Tomás de Kempis
- *O homem à procura de si mesmo* – Rollo May
- *O existencialismo é um humanismo* – Jean-Paul Sartre
- *Além do bem e do mal* – Friedrich Nietzsche
- *O abolicionismo* – Joaquim Nabuco
- *Filoteia* – São Francisco de Sales
- *Jesus Cristo Libertador* – Leonardo Boff
- *A Cidade de Deus – Parte I* – Santo Agostinho
- *A Cidade de Deus – Parte II* – Santo Agostinho
- *O conceito de ironia constantemente referido a Sócrates* – Søren Aabye Kierkegaard
- *Tratado sobre a clemência* – Sêneca
- *O ente e a essência* – Santo Tomás de Aquino
- *Sobre a potencialidade da alma* – De quantitate animae – Santo Agostinho
- *Sobre a vida feliz* – Santo Agostinho
- *Contra os acadêmicos* – Santo Agostinho
- *A Cidade do Sol* – Tommaso Campanella
- *Crepúsculo dos ídolos ou Como se filosofa com o martelo* – Friedrich Nietzsche
- *A essência da filosofia* – Wilhelm Dilthey
- *Elogio da loucura* – Erasmo de Roterdã
- *Linguagem corporal em 30 minutos* – Monika Matschnig
- *Utopia* – Thomas Morus
- *Do contrato social* – Jean-Jacques Rousseau
- *Discurso sobre a economia política* – Jean-Jacques Rousseau
- *Vontade de potência* – Friedrich Nietzsche
- *A genealogia da moral* – Friedrich Nietzsche
- *O Banquete* – Platão
- *Os pensadores originários* – Anaximandro, Parmênides, Heráclito
- *A arte de ter razão* – Arthur Schopenhauer
- *Discurso sobre o método* – René Descartes
- *Que é isto – A filosofia?* – Martin Heidegger
- *Identidade e diferença* – Martin Heidegger
- *Sobre a mentira* – Santo Agostinho
- *Da arte da guerra* – Nicolau Maquiavel
- *Os Direitos do Homem* – Thomas Paine

- *Sobre a liberdade* – John Stuart Mill
- *Defensor menor* – Marsílio de Pádua
- *Tratado sobre o regime e o governo da cidade de Florença* – J. Savonarola
- *Primeiros princípios metafísicos da Doutrina do Direito* – Immanuel Kant
- *Carta sobre a tolerância* – John Locke
- *A desobediência civil* – Henry David Thoureau
- *A ideologia alemã* – Karl Marx e Friedrich Engels
- *O conspirador* – Nicolau Maquiavel
- *Discurso de metafísica* – Gottfried Wilhelm Leibniz
- *Segundo Tratado sobre o governo civil e outros escritos* – John Locke
- *Miséria da filosofia* – Karl Marx
- *Escritos seletos* – Martinho Lutero
- *Escritos seletos* – João Calvino
- *Que é a literatura?* – Jean-Paul Sartre
- *Dos delitos e das penas* – Cesare Beccaria
- *O Anticristo* – Friedrich Nietzsche
- *À paz perpétua* – Immanuel Kant
- *A ética protestante e o espírito do capitalismo* – Max Weber